KB110551

09:01:07:10

REC

# 가족이 되는 방법 3

How to be a family

Yeondam

글 · 그림 모주

# 가족이 되는 방법 3

초판 1쇄 찍은 날 | 2022년 8월 29일
초판 1쇄 펴낸 날 | 2022년 8월 29일

글 · 그림 | 모주

발행인 | 이진수
펴낸이 | 황현수
책임기획 | 김은서, 코믹제작팀
책임편집 | 홍민지

펴낸곳 | 주식회사 카카오엔터테인먼트
등록번호 | 제2015-000037호
등록일자 | 2010년 8월 16일
주소 | 경기도 성남시 분당구 판교역로 221 6(일부)층

제작 | KW북스
E-mail | design@kwbooks.co.kr



ISBN 979-11-385-8522-4 07810
979-11-385-8519-4 (set)

# Contents

# 등장인물 소개

신도연(25)

7월 10일생 , 171cm , A형
경영학과 재학 중.

서은하(23)

9월 1일생 , 186cm , O형
영어영문학과 휴학 중.

신영주

도연의 어머니.

서현준

은하의 보호자.

하성훈

도연의 친구.

# 28화

# 가족이 되는 방법

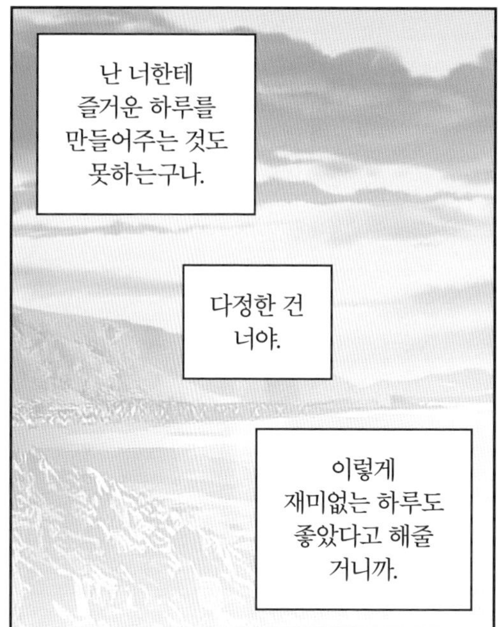
난 너한테
즐거운 하루를
만들어주는 것도
못하는구나.
다정한 건
너야.
이렇게
재미없는 하루도
좋았다고 해줄
거니까.

내가 뭘 해도
너는 좋다고
하겠지.

이런
이상한 편지를
받아도
싫은 티는
못 낼 거야.

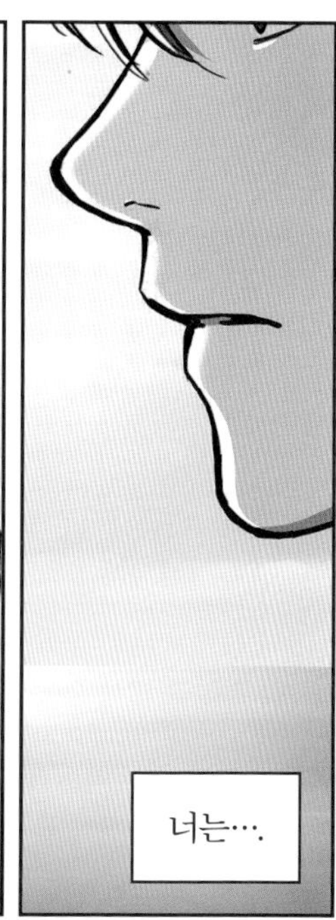
너는….

나도 형이 좋아.

…응?

거짓말
하지 마.
너는
그냥….
거짓말 아닌데?
…?!

?
어?

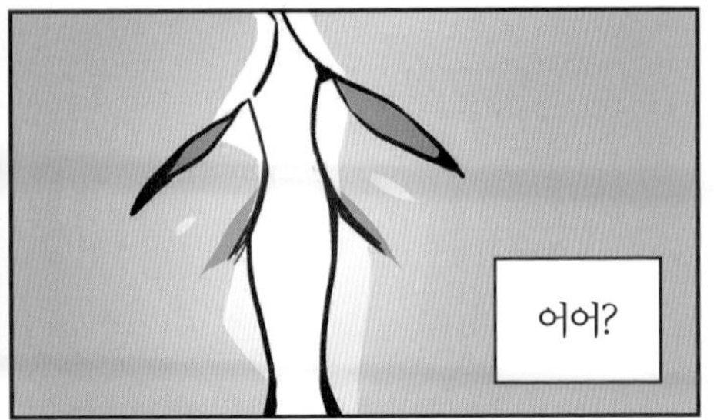
어어?

28화

머엉
……
…………
화아악

아, 뭐야….
쪽팔려….
아직도 미련을 못 버리고
이런 꿈이나 꾸고….

깼어?

……지금
몇 시야?
새벽
다섯 시.
더 자도 돼.
…….

넌…
안 잤어?
나도 잤어.
일찍 깬 거야.

안 잔 거
같은데.
침대 시트가
그대로잖아.

어제…
어제는….
꾹

제일 가까운
병원 응급실에
갔던가?
가물
기억이
가물가물
한데…
가물
링거 맞고
그러다가 좀
나아져서….

택시 타고
호텔로 돌아와서
옷만 갈아입고
바로 뻗었지.

…….

미안해…
진짜로….
또 사과한다.

신경 쓰지 말고
조금 더 자.
사락
…….

진짜
한심하다.
좋은
여행은커녕
보통도
못했잖아.
아,
그냥….

다음에…
말할까?

삐걱

.......
?

?
스윽
?

스슥

토닥
토닥

좀 더 자.
토닥
토닥
…….

다음에 주긴
무슨.
안 되겠다.
정신
차려야지.

…은하야.
산책이나
하러 갈래?
해 뜨는 거
보러 가자.

형 몸도
안 좋은데
여기 있자.
나 이제 진짜
괜찮아.
그냥
누워만 있으니
답답해서 그래.
…….

둘
둘
둘

…이게
뭐야.
겨울도
아닌데.
그래도 새벽에
바닷가는 추워.
너는?
난 추위를
안 타니까 괜찮아.

쏴아아
쏴아아아

쏴아아아
쏴아아

예쁘다.
응….

쏴아아아
쏴아아…

…형.
……있잖아.

아.
먼저 말해.
아냐.
형부터….

됐어, 됐어.
네가 말하는 것부터 들을래.
응….

고마워, 형.
이번 여행 정말 즐거웠어.

기차도 타고 여기저기 구경도 다니고….
나를 둘러업고 호텔까지 오기도 했지.
하하.

미안해.
사과할 일이 아니라니까.

응….
…….

쏴아아아
쏴아아아
지금.
두근

두근
지금….
두근
두근
지금 줄
타이밍인가?

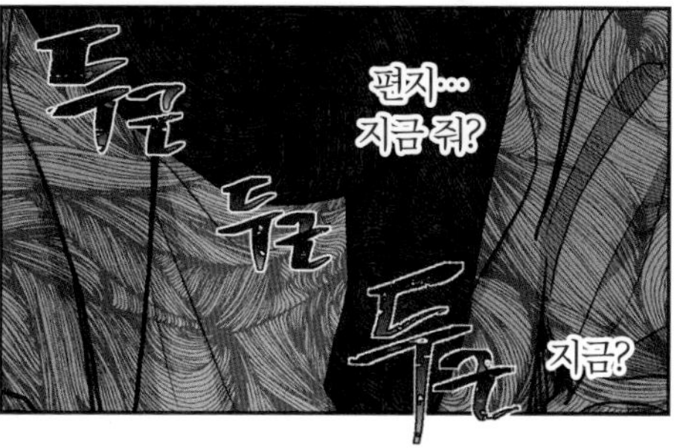
두근
편지…
지금 줘?
두근
두근
지금?

형.
두근

형은 무슨 말
하려고 했어?
어?
아, 그게….

두근
그니까….
두근
그게…….
두근
두근
그….
두근
그게…….
두근

두근
내가…….

조용…
……
……?

형?
왜….
툭

이거…
편지인데….
읽어보고…
어… 읽어봐….
난… 먼저
돌아갈 테니까
여기서 천천히…
읽고 와.

…….
…….
…….

………….
그럼…
먼저 갈게.

덥석

?

왜…?
아…….

아냐.
이걸… 읽으면 되는 거지?

응…….
…….

부동산

…….

주지… 말걸…
…그랬나.

뒤척

퍽
퍽
퍽

주지 말걸 그랬어!
주지 말지 그랬어!
여행도 엉망이었는데
마무리로 엿 먹이는 꼴이 됐잖아!

…….

이 와중에도…
혹시나,
만약 은하가
받아준다면…
…하는 생각을
하는 내가
진짜
짜증난다.
째깍
째깍
…….
째깍
…….
째깍
…….
째깍
따르르르릉
따르르르르
따르르르

따르르르릉
따르르르르
따르르릉
따르르르르

How to be a family

# 29화

가족이 되는 방법

따르르르릉
따르르르르
따르르릉
따르르르르르

생각보다….
빠른 것 같은데.

혹시…….
7:31
은하
대한민국
…….

아냐,
아니야.
내가 또
쓸데없는
희망을….

…….

꾹...

슬쩍...

............

......
............
......
............
......

……
형…
듣고 있지?
어으응.
아, 진짜…!
어으응이 뭐야.
두근
두근
두근
편지…
다 읽었어.
두근
두근
두근
두근
두근
두근
형…….
두근
두근
두근
……
…………

……형.

미안해.

형을 힘들게 해서
미안해.
정말 미안해.
내가….

내가 집을
나갈게….
29화

밥 먹을 시간
빠듯하네….
시간에
못 맞추겠어.
대충 학식이나
먹자고 해야겠다.

근데 얘는 왜
톡을 안 봐.
야, 재
왜 저래?
몰라…
그냥 가자.
?

…….
왜 이래?

헤어지기 싫어.
보낼 수 없어.
돌아와, 제발.
나에게로 다시~.
………….

쑥
쏙

야, 야.
일어나.
밥 먹으러
가자.
찰싹
찰싹
…어으어?

어…
언제 왔어…?
됐고, 대충
알겠으니까
밥이나 먹자.
맛있는 거 먹어,
사줄 테니까.
어?
어…?
그날….

결국 은하와
나는 따로
돌아왔고,
그 후로
거의 마주치지
못했다.

탕

털썩
털썩

…그래도 난
풀썩
이 정도일
줄은 몰랐지.
삑 삑삑
찰칵
드르륵…
저벅
저벅
저벅
핫

저벅.........
두근
두근
두근
...찰칵
타악
쏴아아아........
홱
꾹
은하가 이렇게까지
싫어할 줄 몰랐지.
그날부터
오늘까지 계속
피할 정도로.

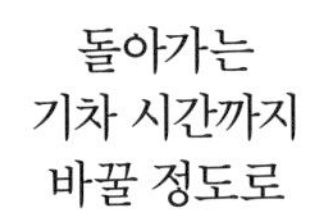
돌아가는 기차 시간까지 바꿀 정도로
같이 살면서 얼굴도 마주치지 않을 정도로.

이제 다 끝이 난 거야~.
네 뒷모습이 너무 서러워….
축축…

어쩌다 마주쳐도 눈길도 안 줄 정도로….

그때야 비로소 깨달았다.

내 고백은 거만함 위에 계획된 일이라는 것을.
은하라면 그래도 이해해줄 거라는 안일함과

최소한 친구 정도로는 지낼 수 있을 거라는 착각.
어느샌가 은하의 호의를 당연하게 여겨왔다는 것을….

부우웅
!

누구야…
성훈인가?
스윽

벌떡
은하?!

은하가
카톡을?
무슨 일로….

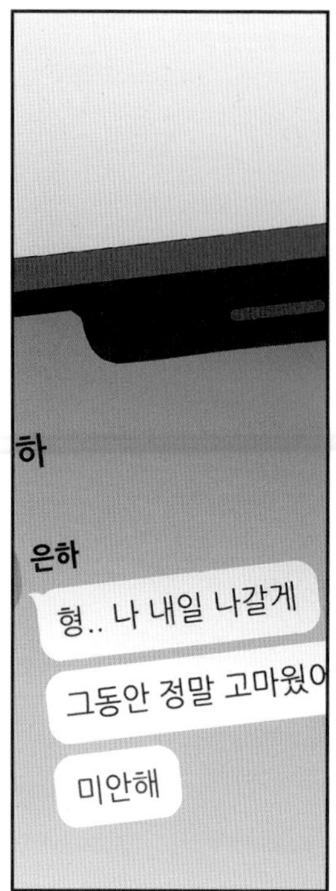
하
은하
형.. 나 내일 나갈게
그동안 정말 고마웠어
미안해

은하를
보내줘야 해.

그게 은하가
원하는 일이니까….

주섬
주섬

주섬...

.......

후……

툭

와르르륵
!

…….
하아..

주섬
주섬

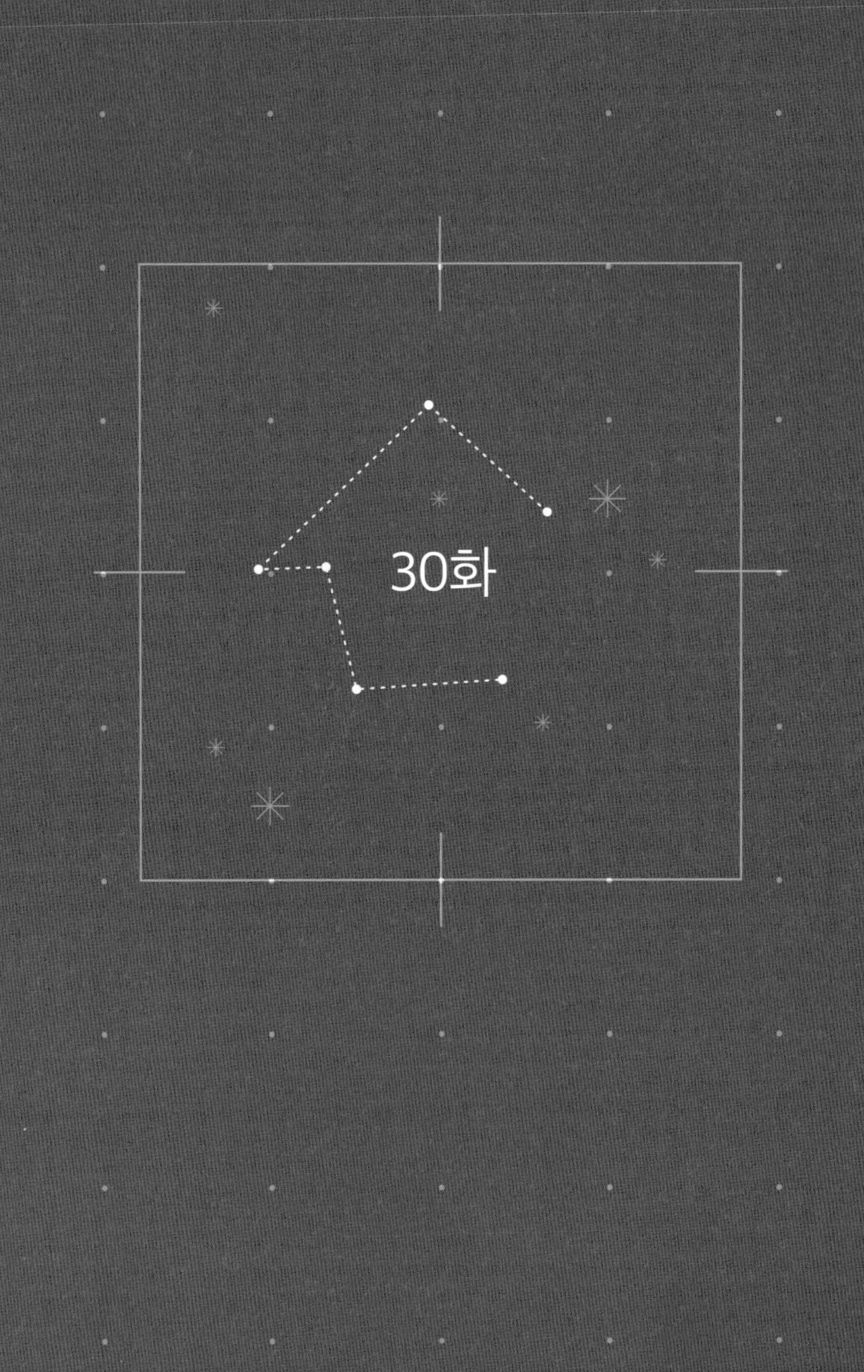

# 30화

가족이 되는 방법

드르륵
뻑
삐리릭
철컥

타악
삐로롱.

일찍도 나가네….

그래도…
인사라도 하고 가지….

끼익…

풀썩

아…
끝났구나.
전부….
30화

꾹

아주 조용히
가을이 찾아왔어.
눈시울에
낙엽이 지고
새벽이슬이
서럽게 쏟아졌어.

나는 아직
여기에 있는데
여기서 울고
있는데.

왜 너는
여기에 없는 걸까~.
왈칵

인사 정도는
하고 가라고,
나쁜 놈아~!
버럭!!

흑흑… 흡…
흑… 꺼흑….
꺼흡…….

꺼흡…
아냐….
나쁜 놈은
나지… 나야….
난리!!

말하지 말걸.
내가 왜 그랬을까.
말 안 하고 참았더라면 아는 사이로라도 남았을 텐데….
그게 뭐 그리 힘든 일이라고….

………….

하… 작작 해야지.
뒤척
누가 보면 비웃겠네.
예를들면 얘가
하이고야~

?

뭐야?
책상 밑에
뭐가 있네.

?
툭
툭
수첩…?

혹시….
은하 건가?

달칵
혹시
은하 거라면
돌려줘야 하나….
팔락
……에이.
별거 아니겠지,
뭐.

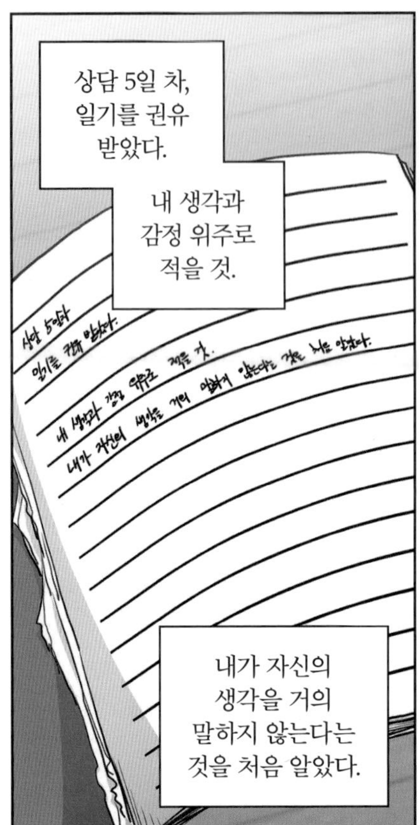
상담 5일 차,
일기를 권유
받았다.
내 생각과
감정 위주로
적을 것.
내가 자신의
생각을 거의
말하지 않는다는
것을 처음 알았다.

상담?
일기??
이거 막
읽어도 되나?

…남의 일기를
막 읽으면 안 되지.
그치. 그렇지.
안 되지…….
………….

살짝…

아르바이트가
힘들었다.
팔락

팔락
돈이 없어
힘들다.

팔락
삼각김밥이
질린다.

………….
은하야….

팔락

쓰다 지운 게
많네.

!
형이 보고싶다.
너무나 오래 되었다.
갔는지 궁금하지 않다.
어…
이건….
두근
두근
형이
보고 싶다.
못 본 지
너무나 오래
되었다.

아버지가
사라졌지만
어디로 갔는지
궁금하지 않다.
그저 나는

형이
보고 싶고
궁금했다.

처음
아버지가 사라진 걸
알았을 때
나는
무기력했다.
손가락 하나
까딱할 수
없었다.
실망이나
슬픔이 아니라
그냥 무엇에도
의욕이 나지
않았다.

한참을 그렇게
앉아 있었다.

저 사람
뭐야?
몰라….
그러던 중에
어디선가
노래가 들렸다.

형은
그 노래가
좋아?
아… 내가
뭐 하나에
꽂히면 그것만
들어서….
…….
이건….
…….
꼬르륵—

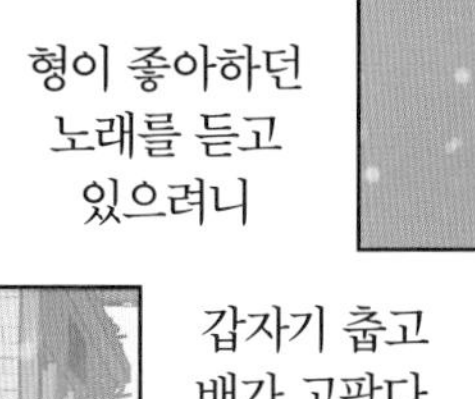
형이 좋아하던
노래를 듣고
있으려니
갑자기 춥고
배가 고팠다.
아무것도
느끼지 못하고
있었는데
형을 생각하니
주변이
선명해졌다.

형을 다시
만나고 싶다.

.............
팔락

이별 노래 모음 50곡 추천…
studio mz
형을 다시 만나면
하고 싶은 일들을
생각해봤다.
요즘은 늘
그 생각뿐이다.

팔락
형은 나를
만나고 싶지
않겠지.

팔락
나를 보면
무슨 표정을
지을까.

형에게 변화가 있었다.

내가 거리를 두는 것을 서운해하는 기색이었다.

!

…맞아.
서운했다고….
나도 그러긴 했었지만.
어쩌면…
몰입

지금이 기회일지도 모른다.
?

무슨 기회?
팔락

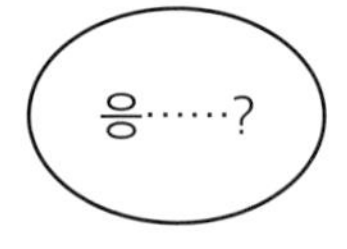
응……?

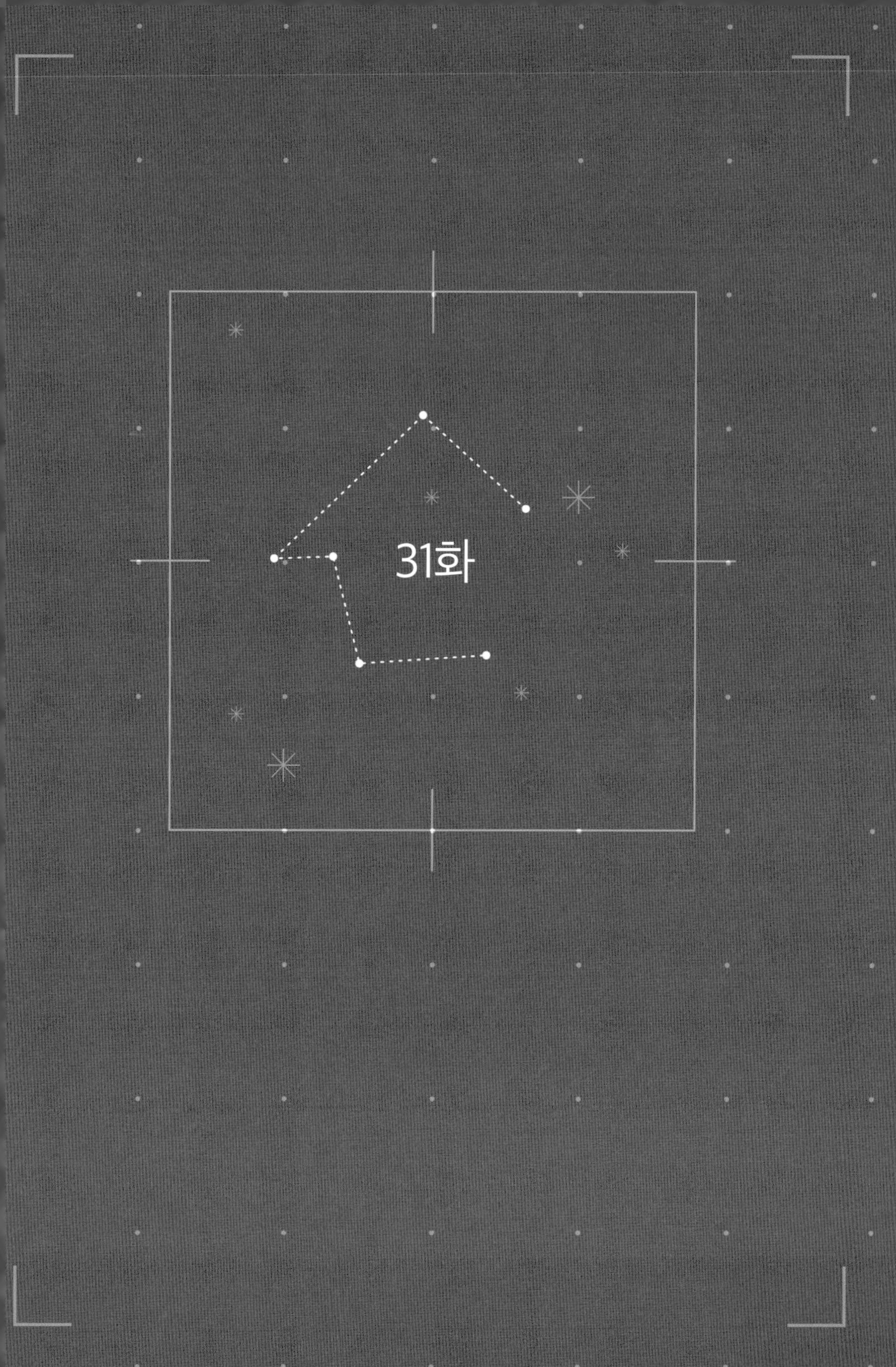

# 31화

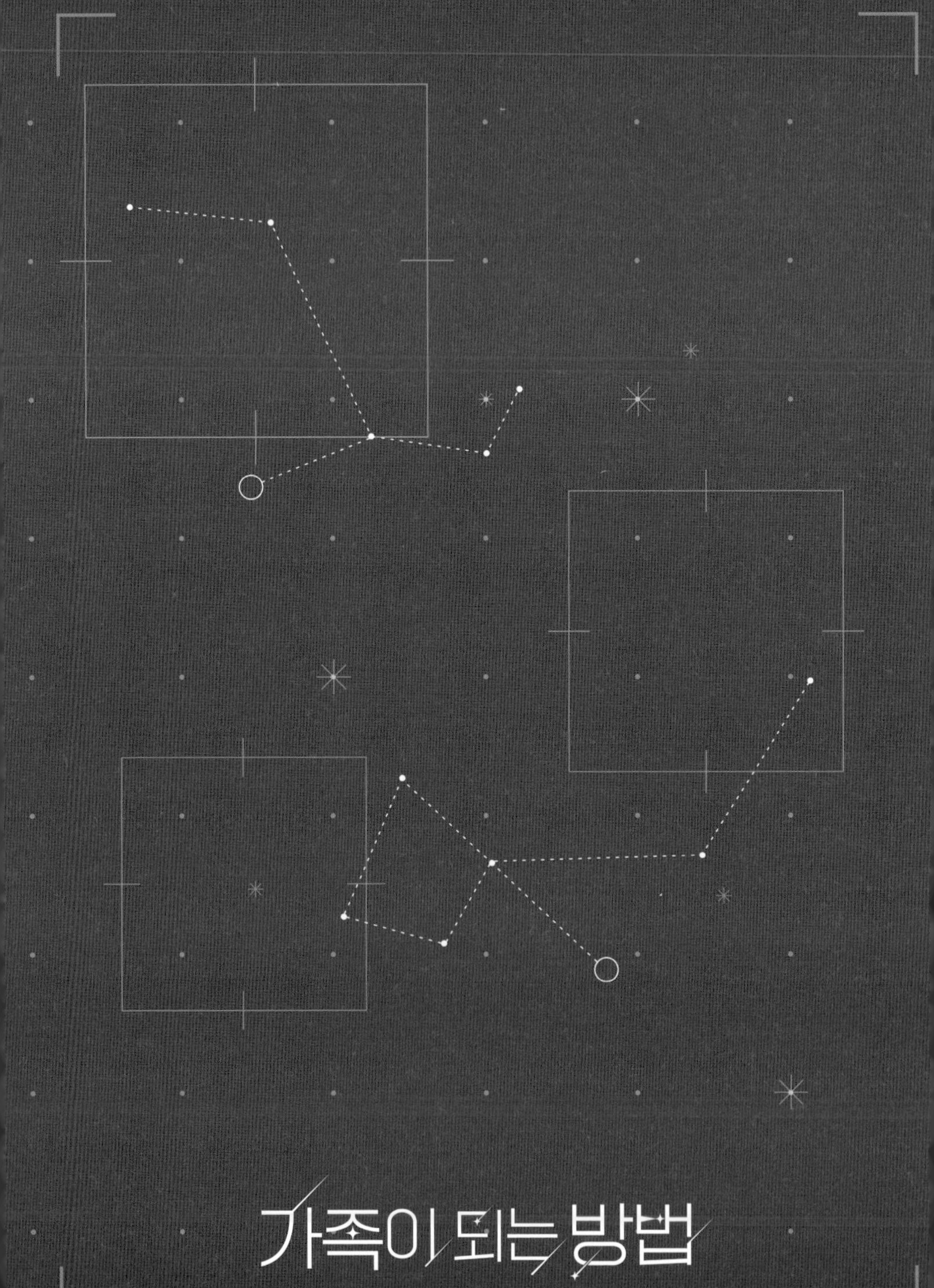
가족이 되는 방법

어쩌면…
지금이
기회일지도
모른다.
?

팔락
무슨 기회?

형과의 관계를
회복할 수 있는
기회….
그러려면
형에 대한 마음을
잘 억눌러야 한다.
또다시
내 마음으로
모든 걸 망칠
수는 없다.

응…?
…….

…….
…….

지금 나는

내 인생에서 제일 행복한 시간을 보내고 있다.

그러나
자꾸만 욕심이 생긴다.
형이 나를 받아줄 것 같은 기분이 든다.
형을 붙잡고
전부 말하고 싶은 충동에 휩싸인다.
내 마음을 전부….

…………….

팔랑

전부
끝났다.
?!

이번에도
모두 내
착각이었다.

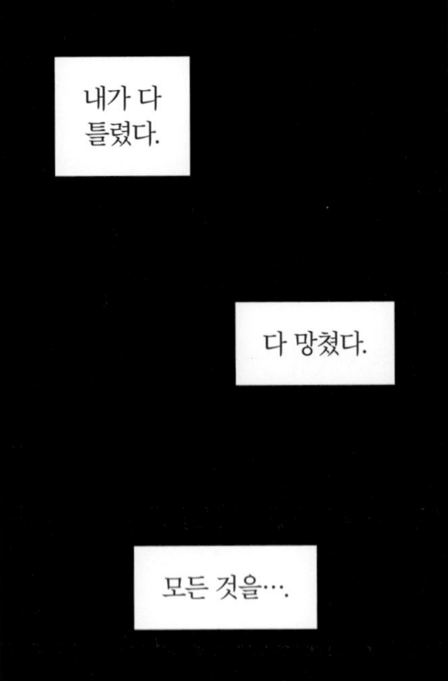
내가 다
틀렸다.
다 망쳤다.
모든 것을….

?
형은 전부
알고 있었다.
??
내 마음이
형제로서가
아니라는 것을.

내가 형을
사랑하는
것을….

뭐라고?
내가 잘못 읽은 거 아니지?

그럼 왜?
왜 나갔어?
내 편지를 읽고 왜 나간 거야…?
내가 또 뭔가 착각하고 있는 건가?

확

형이 준 편지에는
완곡한 거절의 말들이 적혀 있었다.
!!

거절 편지라고 생각했다고?
내가 뭐라고 썼었지?
뭐라고….

…….
…….
………….

!

노트북!
탁

노트북에 파일이 남아 있을 거야.
처음부터 손으로 썼더니 수정하기가 번거로워서
탁
노트북으로 완성한 후에 편지에 옮겨 적었으니까….
클릭 클릭

과제 - 복사본
(3).txt
!
찾았다!
421_진짜끝.txt
편지.txt
어디….

바본가?
이렇게 쓰면
당연히 오해하지!

내가 봐도 이건
고백으로 안 읽혀.

정말로 돌려 돌려
거절하는 것처럼
읽히잖아….
가망이 없다고
단정 짓고, 기대를
죽이고 써서

잘 차여야 한다고
생각하면서 써서
그랬나….

…….
전화.

휙
휙
휴대폰!
휴대폰 어딨어!

아!
은하 방!

팟
전화….
전화….
전화….
뚜르르르
뚜르르르르
뚜르르르르
뚜르르르
제발 받아라…
제발….

뚜르르르르
뚜르르르르르
뚜르르르르르
뚜르르르르르르
왜 안 받아!
카톡이라도….
아, 음악 왜 다시
나와, 정신 사납게.
헉
일기에
어디로 갈지
적어 놓았을지도
몰라.
팔락
팔락

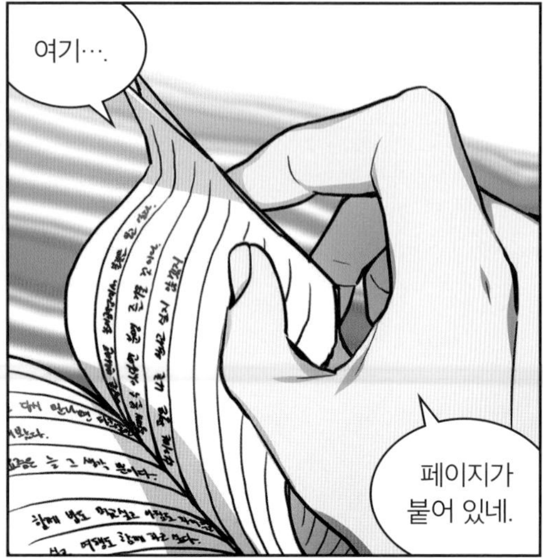
여기….
페이지가 붙어 있네.

찌익

형이 원하는 사람이 되고 싶다.

하지만 그건 형을 좋아하지 않아야만 가능했다.
내가 형을 좋아했기 때문에 형이 날 멀리한 거니까.
이건 순서상…
집에 들어오기 전에 쓴 건가?

형을
좋아하지
않으면서
형 곁에
머물거나
형을
좋아하면서
형을 만나지
않거나…
하나를
택해야 한다.

하지만 어떻게
형을 좋아하지
않을 수 있겠어….

그래서 어떻게
하는 것이 최선일지
생각해봤다.
계속 머물면 또다시
마음을 들킬 테니까,
조금씩만 만나면서
사이를 회복하는 거다.

그렇게
좋은 기억만을
남기고 떠난다면
형을 거의
만나지는 못해도
꾸깃
이따금 전화
한 통 정도는
해볼 수 있지
않을까.
단지
그것뿐이라도
좋으니까….

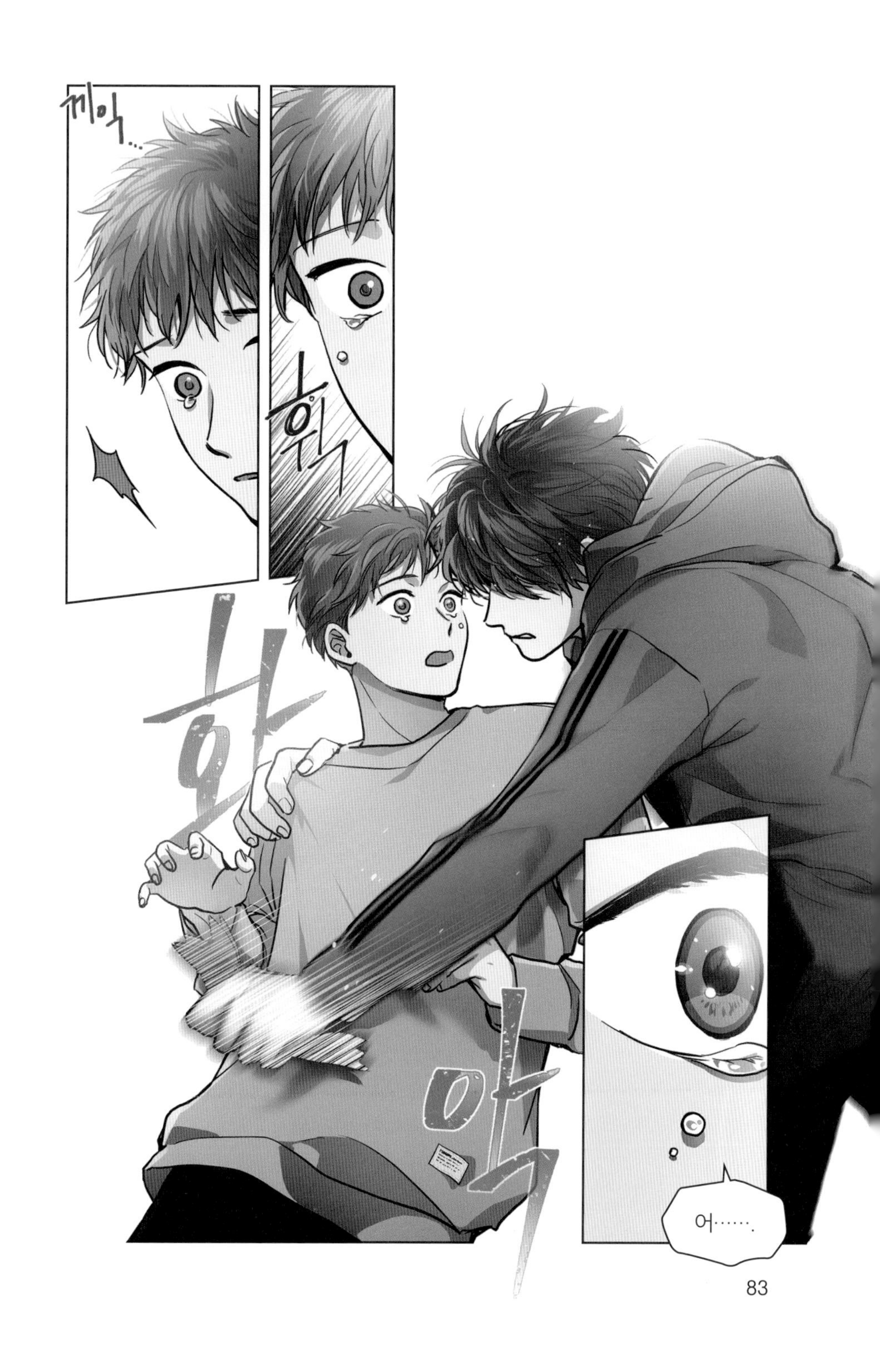
끼익…
휙
화악
어…….

…….
…너.
너 어떻게…
언제….
…미안해….
헉
헉
헉
난, 그냥…
놓고 간 것만…
헉
조용히…
가져가려 했는데….
…….
이거…
읽었어…?

너를 안고
울었어.
좋아했다고.
좋아했다고.

지나가버린
나날들이
네가 있어
소중했다고.

그리웠다고.

너를 안고
말해주고
싶었어….

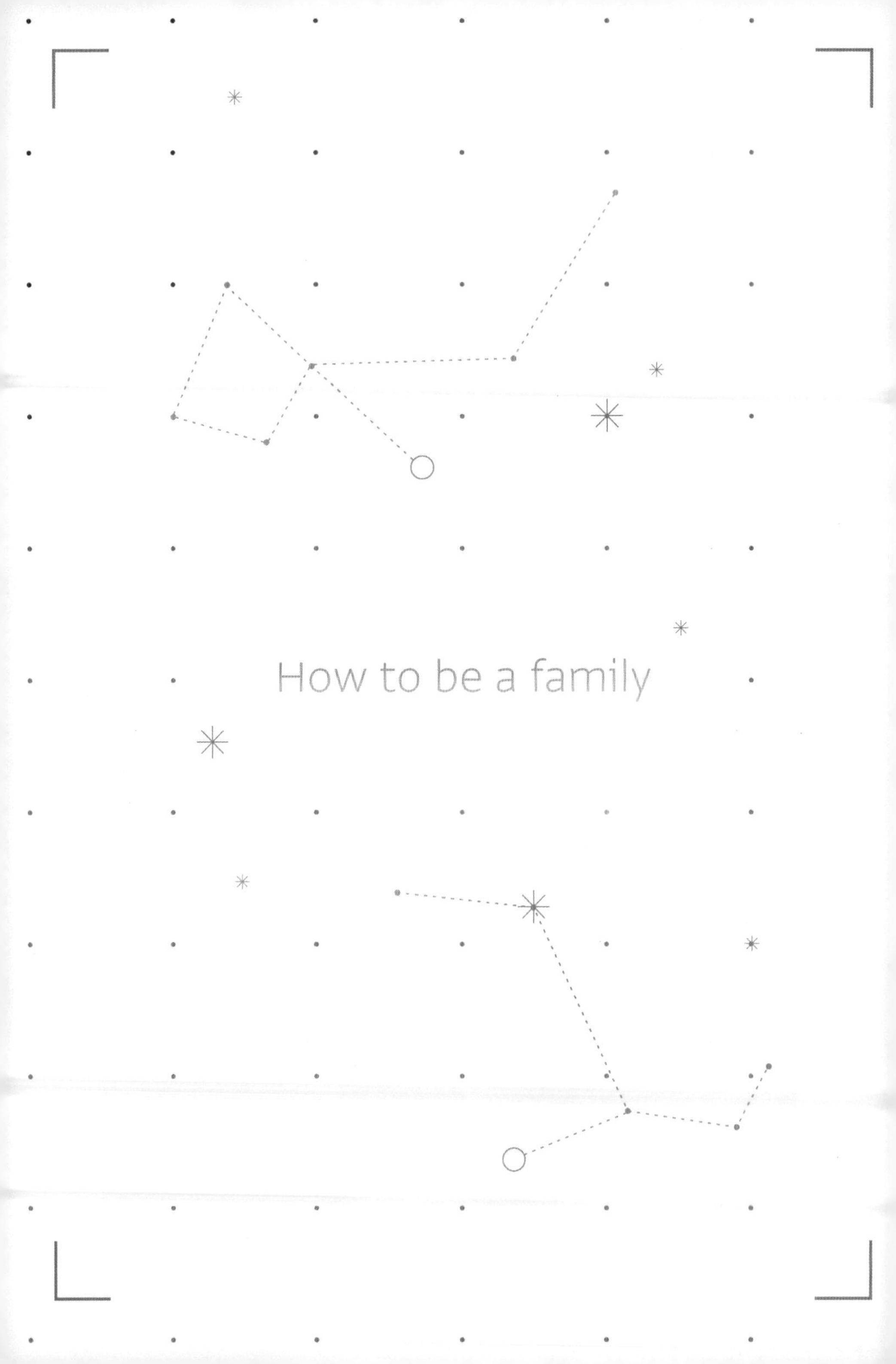

# How to be a family

# 32화

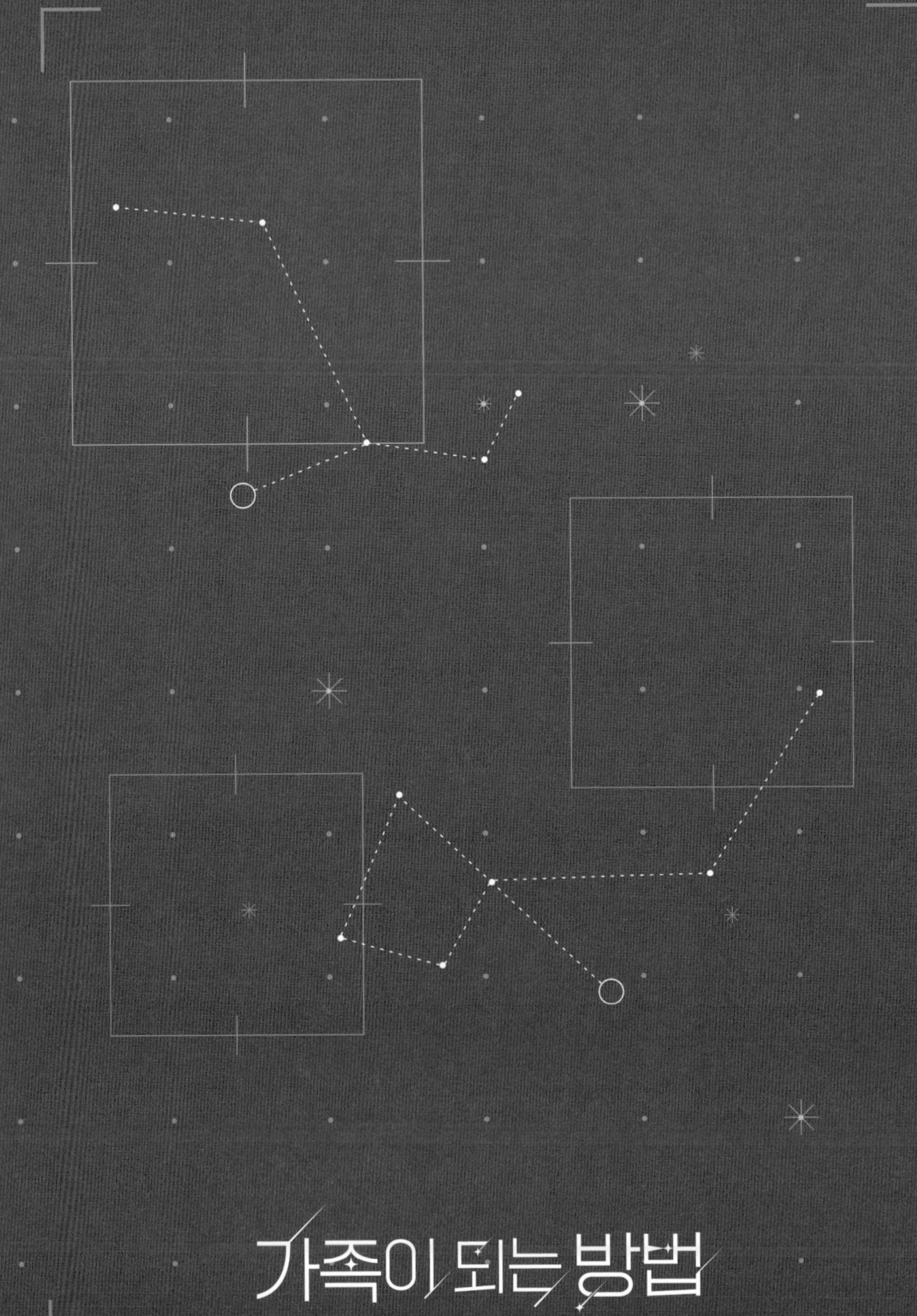

# 가족이 되는 방법

형…
괜찮아?

왜 그렇게 울어….

미안해,
기분 나빴지.
안 그래도
싫었을 텐데
그런 걸 읽었으니
더….
절레
절레
아냐,
아니야.

미안해.
미안해….
내가 잘못 썼어,
잘못 쓴 거야.
그 편지,
거절하는 내용
아니었어….

나도
널 좋아해.
네가 너무
좋아서….
그래서…
차라리 깨끗하게
차이고 포기하고
싶었던 건데….

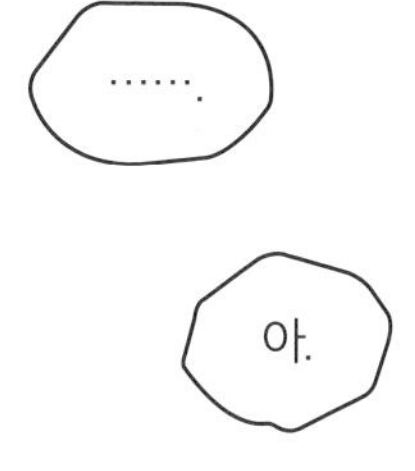
…….
아.

나를 포기하게 만들고 싶었다는 얘기……
인 거지?
미안해, 잘못 알아들어서….

휙

내가 너를
좋아한다고!
껴안고 싶고
키스하고 싶고!
그 이상도
하고 싶다고!
알아듣겠어?

조용...

나… 또 뭐
착각했어?
내가 일기를
잘못 읽었나?
아냐!
아니야,
아니야….
그냥,
놀라서….

고개 들어봐….

너야말로 진짜
나를 좋아하는 거
맞아?
가족이 되고 싶은 걸
착각한 거 아니고?
대체 언제부터
날 좋아한 건데.

그러게, 형.
언제부터였을까?
언제부터….

그 놀이터에서?
아니면 학교 뒤편에서?

깨진 유리창 앞에서?

…아니면, 처음부터?

웃기지 마.
너 처음에 나 미워했잖아.
아하하.

미안해, 그땐 미워했던 게 아니라…
아버지라면 금방 헤어지실 거라고 생각해서 정을 주고 싶지 않았던 거야….

그만 울어….
형도….
줄
줄
줄
안 멈춰.
나도….

나…
뭐 물어봐도 돼?
응.

옛날에…
나 자고 있을 때
머리맡에
휴대폰 가져가려고
했었던 거.
그때…
진짜 휴대폰만
찾고 있었어?

…….
아니.

꾸욱
…….
…….
응….
풀썩
으음…….

잘근
움찔
으응.
......
......후.
흐읏
하앗
움찔
웃….
우….
으응.
움찔
쪽
쪽
음….
쪽
츄읍
흐.
응….
쪼옥
움찔

하아.
너무
너무….
으,
은,
은하야.
잠깐만….
……읏.
?

주륵

?!
너 코피…!

아, 미안해.
형, 미안….
슥
슥
아니, 나 말고 너를….

형.
쪽
쪽
형….
쵸릅
잠깐….
쪼릅
쪼릅
…….

멈춰보라고!
화악
어휴,
옷에 다 묻었네.
어…
코피 나면
고개를 숙여야
했던가?
미아애…….
미안하긴
뭐가 미안해.

형….
나 정말…
좋아해?

……
응.

내가 불쌍해서
그렇게
말해주는 거…
아니지?

그게 무슨
말이야.
찰
싹
내가 꼭,
뭐.
너를 좋아한 역사를
줄줄 읊어줘야만 알겠어?

…듣고
싶은데.
싫어.
부끄러워.

형.
…형.

도연이 형….
형을 만나고
나서는
그 후는
어떡하실 건가요?

일단 하고 싶었던 것들을 전부 하고 나면….
그때야말로 완전히 끝이 나겠죠.
형과 지낼 수 있는 시간이요.
무엇이 끝난다는 건가요?
다 틀렸어.
다 끝났어.
내가 다 망쳤어, 내가 티 내는 바람에.
사이를 되돌리지도 못했어.
나가자, 그래야 해.
형을 괴롭히려고 온 게 아니잖아.
형을 위해…….

…….
어떡하지?
형 가까이에 있을 수 없으면 미쳐버릴지도 몰라.
…….
…나가기 싫어.
꾹…
대체 무슨 자신감으로 형을 멀리할 수 있을 거라 생각했지?
울면서 빌면….
………….
불쌍하다고 곁에 둬주지 않을까?

!
와르르
……….
주섬…
멈칫

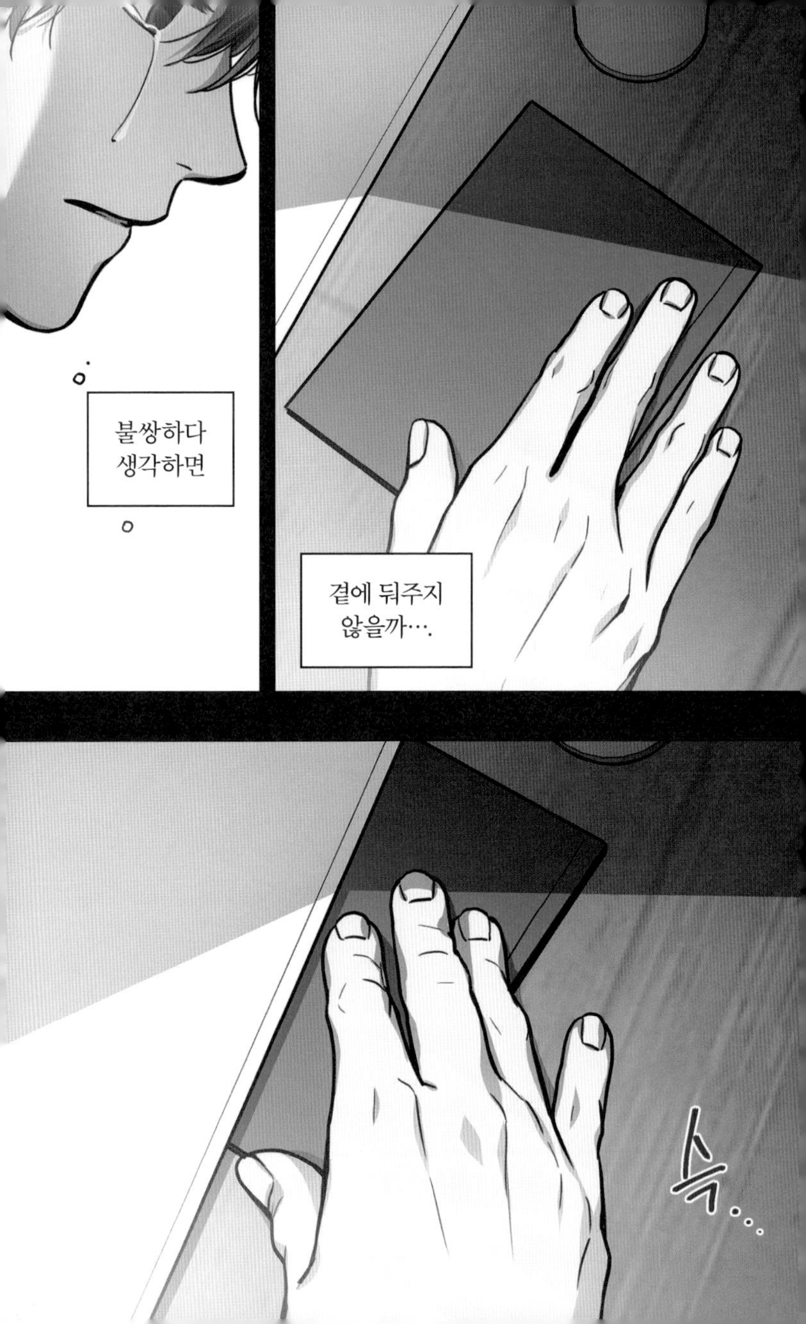
불쌍하다
생각하면
곁에 둬주지
않을까….
슥…

은하야,
나 말이야….
네 일기장 찾아서
다행이었어.
그게
아니었다면
지금쯤….
일기장 몰래 본 걸
다행이라기엔 좀
그런가?
아냐, 형….
다행이야.

다행이야….

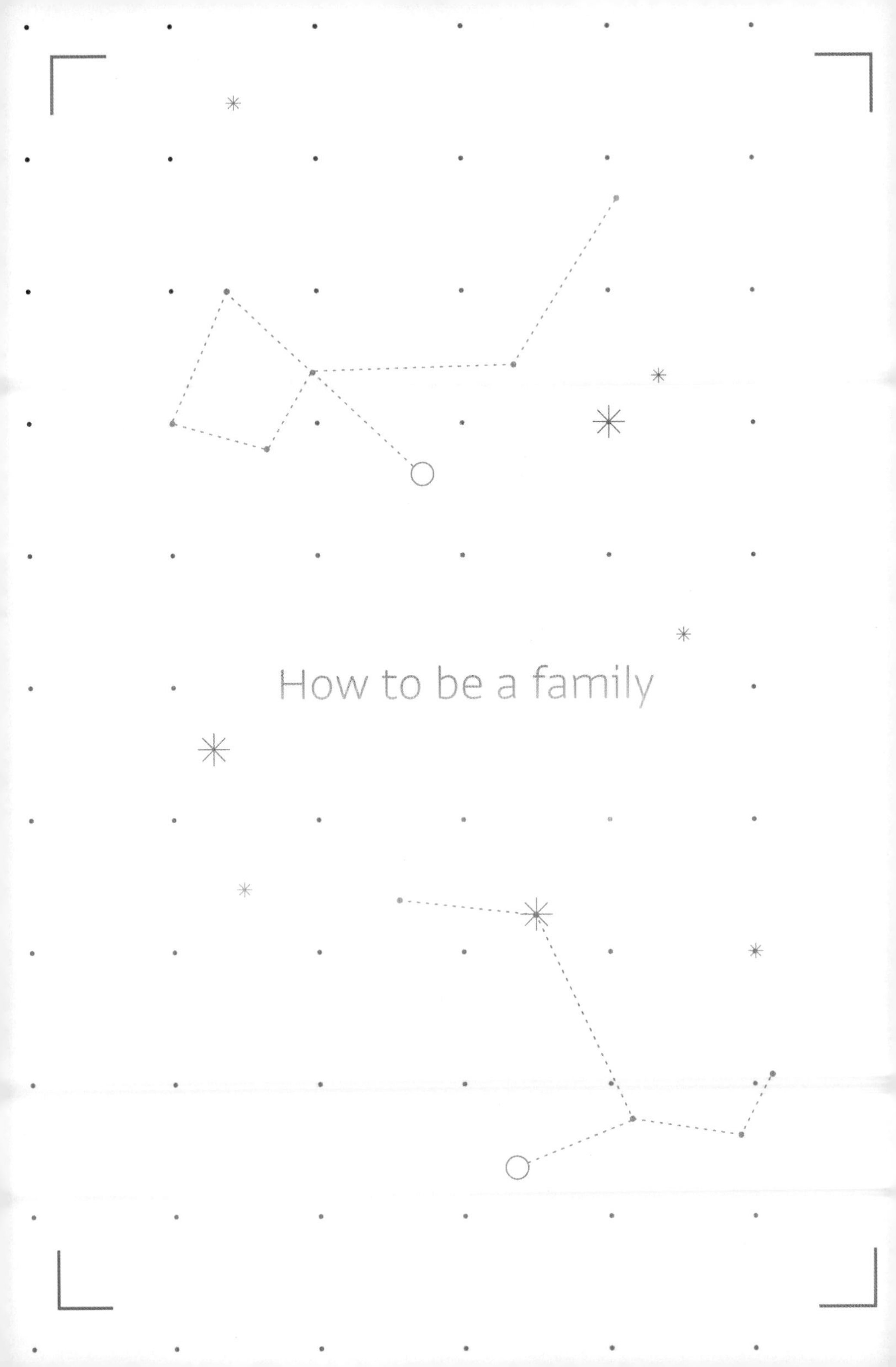

# How to be a family

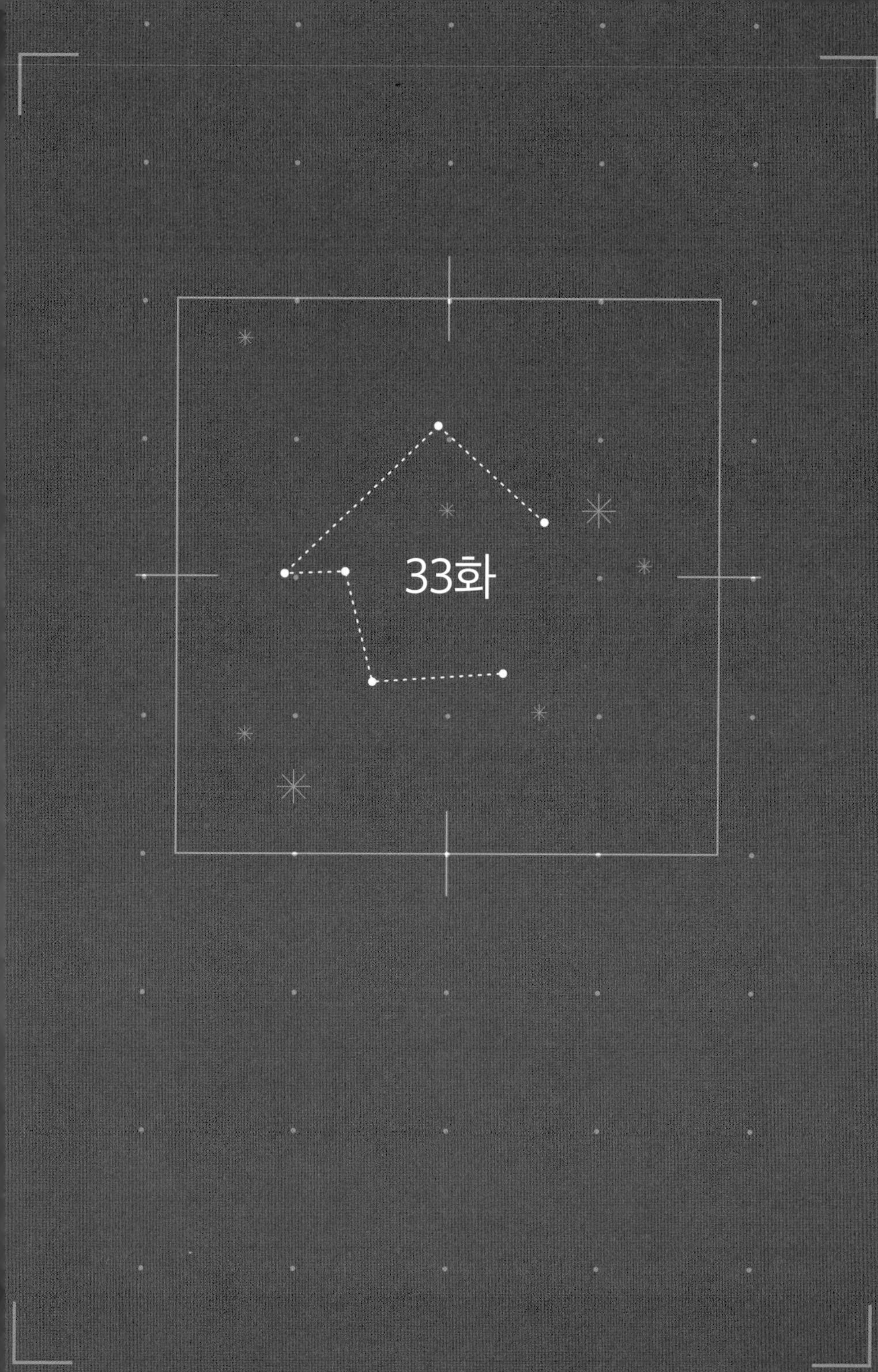
33화

가족이 되는 방법

재잭
재잭
재잭
재잭

……
음…….

33화

로딩중
……
……
…….
로딩중

벌
떡

내내내내내가
내가 왜 은하랑
자고 있지?
은하랑 혹시.
혹시 무슨 일이
있었던 건.
으아아아아아아아아

……．
Z
Z
Z

…아니었지, 참.
머쓱
옷도
입고 있고.
Z
Z

……．
맞아, 어제….

밤새도록
이야기했었지.
그러다
잠들었나 봐….
피 묻은 옷은
갈아입었음.
어제
우리는

아주 오랫동안
못 만났던
사람들처럼
이야기를 나눴다.
옛날이야기,
헤어져 있었을
때의 이야기….
말하지
못했던 속마음
같은 것들.

아직도 안 믿겨.
은하랑 내가….

같은
마음이었다니.

실감이
안 나는데….
설마
다 꿈이었던 건
아니겠지?

반짝
반짝
반짝

…하지만
이 얼굴만큼은
현실이구나.
아름다워.

슥

두근

아… 저기…
미안해,
나 때문에 깼어?
머엉…

…….
도연이 형….
응, 응?
웬일로
이름을?
안아봐도 돼…?
어?!
어어!

꼬옥

하아…
다행이다.
꿈이 아니라서….
두근 두근

맞아.
꿈이 아니야.
현실이야.

현실이라고!

………….
야, 신도연….

너는 정말…
표정 관리란 게 안 되냐?
반짝
응? 뭐라고?
반짝
아냐… 아무 말도 하지 마라….

맞아, 너한테 할 말이 있는데….
슥
아무 말도 하지 말라니깐.

나… 은하랑 잘됐어….
……와~ 그거 참 놀랍다….

근데 나한테 막
말해도 돼?
걔가 싫어하는 거
아니야?
아냐,
말해도 된다고
했어!
아, 그래….

고마워, 성훈아.
그동안 얘기
들어줘서.
네 덕분에
잘된 거야.

…………..

에휴…
그래,
행복해 보이니까
됐다….
응?
왜, 뭔데.

아~
신경 쓰이게
왜 그래.
뭔데! 뭔데!
왜
그러는데~.

후우…

걱정되니까
그렇지.

?
무슨 걱정?
뭐긴….

네가 걔 때문에
고생할까 봐.

???
무슨 고생…?
솔직히 말해서
난 걔가 탐탁지가
않거든.

너는 너무
사람이 무르고 걔는
좀 불안정하잖아.
꾹
뭐라고
말해야 하지….

상성이
안 맞는다고
해야 하나?
덜컹

……
너, 나한테는
고백하라고
해놓고….
자.
그건 차이라고
그랬던 거지.

네가 하도 맘고생
하는 거 같으니까
차이고 편해지라고.
딸깍

…뭐….
그러긴
했었지만….

이렇게
잘될 줄 알았더라면
그냥 말렸을 텐데.
너한테
무슨 일이라도 생길까
걱정이다, 진짜.
…은하가 좀 남한테
냉정한 면이 있기는
해도….
나한테 나쁘게
굴 애는 절대로
아니니까 그렇게
말하지 마.

있잖아….
나한텐 안 그러겠지
싶은 사람은, 결국 어떤
식으로든 나한테도
그러게 되어 있어.
그런 일에
예외란 없다고.

…….
엇.
화났다.

미안해~
화내지 마.
내가 말이
심했다.
그냥…
나중에 혹시라도
고민거리 생기면
얘기하라고.
응?

넌 사람이 좋아서
대수롭지 않게 넘기는
일이 많잖아.
기분 탓이라고
넘기거나
내가 예민한 거겠지
하지 말고.
알았지?

떨어
져라
꺄 ㅠㅠ

…성훈이
이 새끼.
이상한 소리를
하고 있어.

몇 년간의 짝사랑이
끝났는데 굳이 찬물을
끼얹을 건 없잖아.
무슨 일이
생기면 말하든가
하라고.

으으, 안 돼.
그만 생각해.
그런 얘길 들으면
꼭 그런 일이 생길 것
같은 기분이 든단
말이야.
머릿속에서 나가라~
나가라~.

형!

와아아

기다렸지!
먼저 들어가 있으라니깐.
아냐, 나도 이제 왔어.
형이랑 같이 가고 싶어서 기다렸지.

그럼 좀 걷다가 들어갈까? 구경도 할 겸.
그럴까? 그러자.

물끄럼…
……
왜…?

생긋
좋아서.

찌
잉…

성훈이 놈이
이걸 봐야 하는데….
응?
아무것도
아니야.

아, 맞다.
나 살 거 있었어.
뭔데?
가디건!

NO
GAME OF MINDS

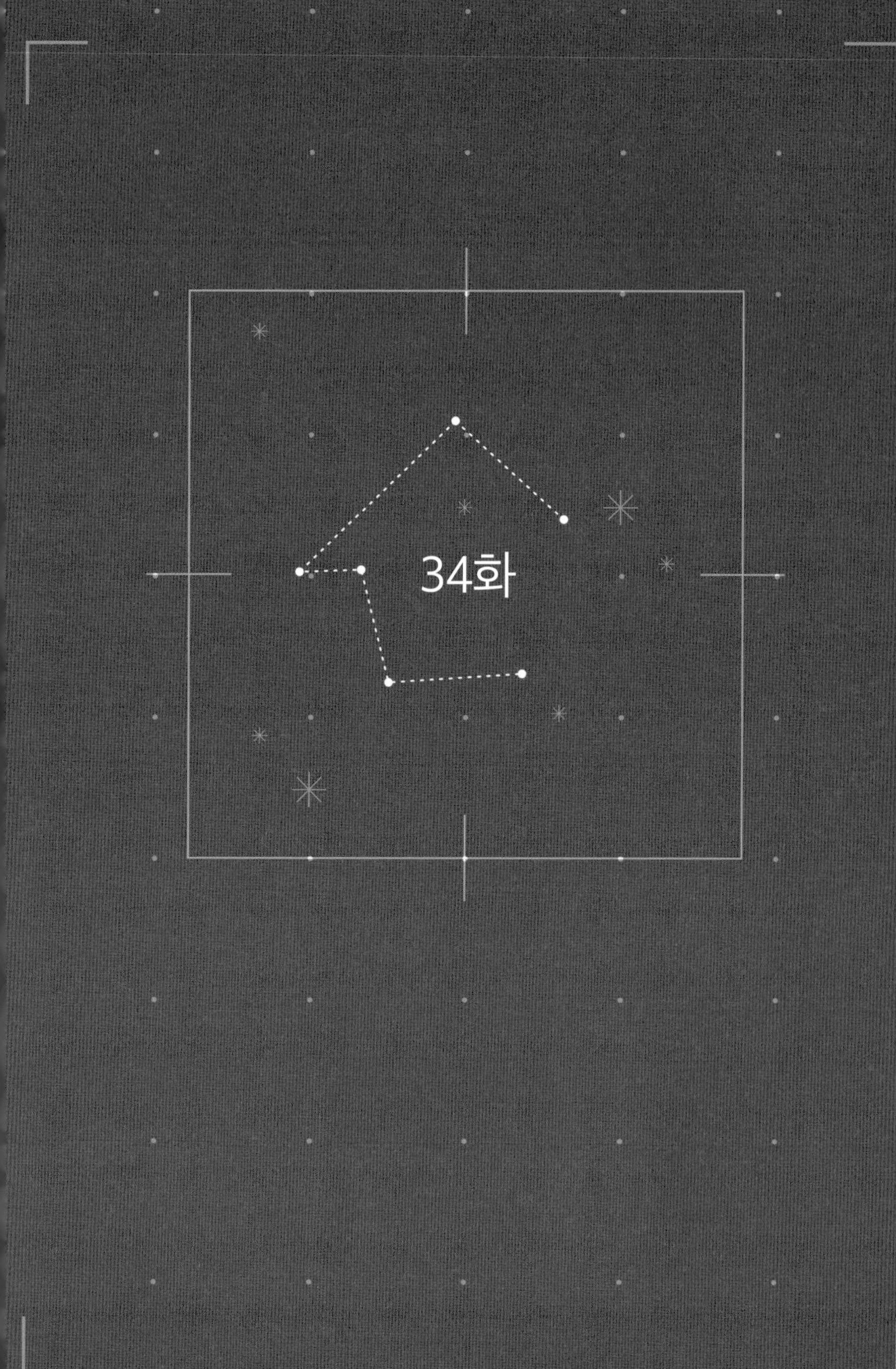
34화

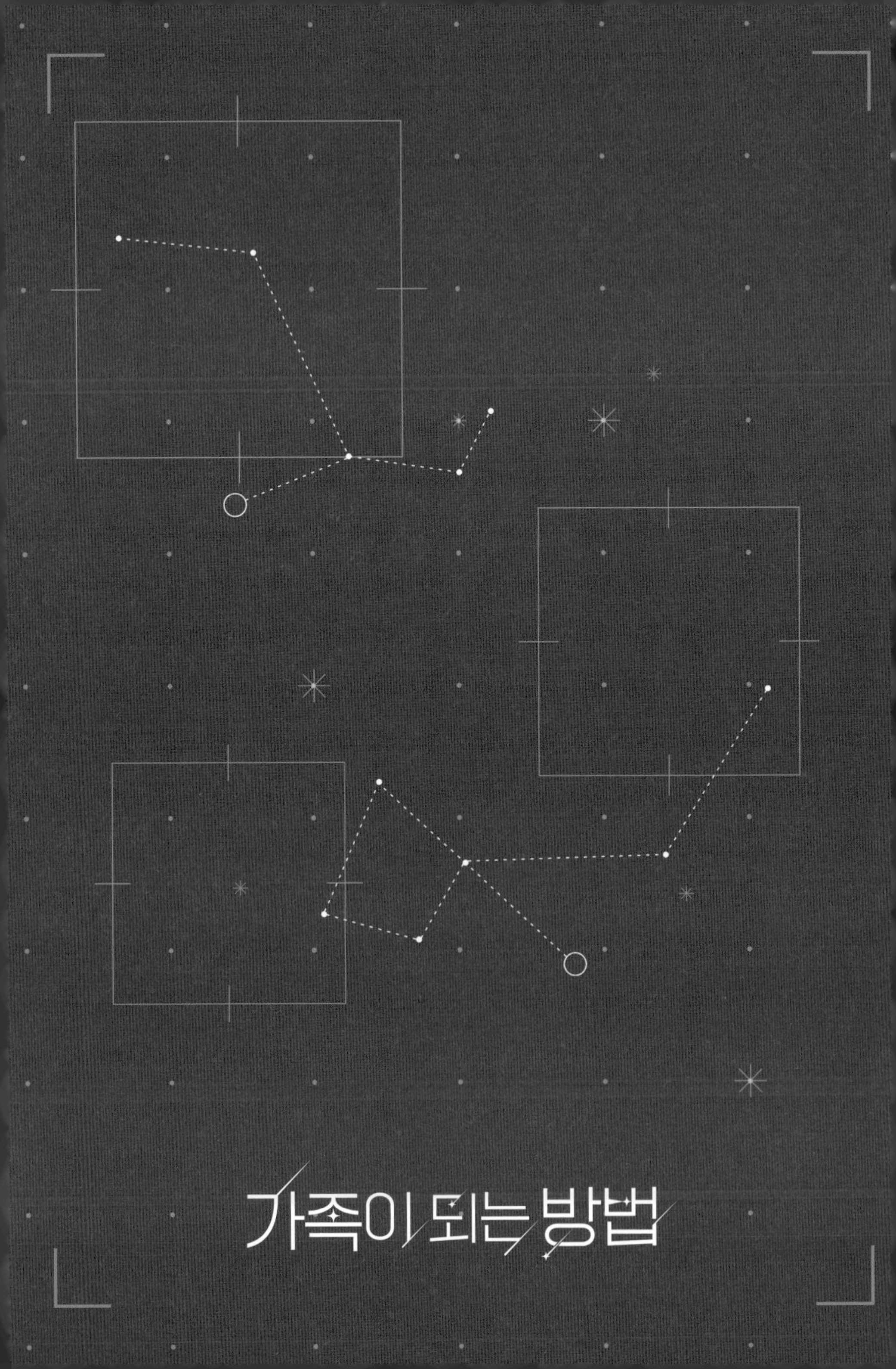
가족이 되는 방법

하~.

한참
걸었는데도
배부르네.
너무
먹었나 봐….
삑
삑
삑
삑
삑
그 집 정말
맛있더라.

다음에
또 가자.
그래!
메뉴 전부
먹어봐야지.

이제
티비나 볼까?
보고 싶은 거
있는데.
좋아,
씻고 올게.

아, 맞다.
은하야.
휙
냉장고에—.

멈칫

……
어…….

그, 어!
냉장고에 아이스크림 사다 둔 거,
있다고.
팍
으응….

아, 깜짝이야.
심장 떨어지는 줄 알았네….
두근
두근
…음….
두근

둘이서 사는 거에 익숙해져서 깜박 하고 있었는데…
생각해보니 계속 단둘인 거 아냐.
어떡하지?
우린 이제….

뭉게
키스도 하는 사이가 됐는데!
뭉게
와어아어아 아아어악~!

큰일 났다….

한 번 신경 쓰기
시작하니까 걷잡을
수가 없어.
와하하
어젯밤에는
어떻게 대화만 할 수
있었던 거지…?

힐끔

솔직히….
어제는
좀 놀랐어.

늘 허둥대는
나와 다르게
은하는 늘
태연하고 침착해
보였는데

그렇게
매달릴 줄은….

…도연이 형.
무슨 생각을
그렇게 해?
어, 어?
아무 생각
안 했는데?
꾹
이거 별로
재미없다, 그치.
꾹
꾹

다른 데선
뭐 하나?
팟
재밌는 거
안 하나….
팟

팟

파앗

조용….

콩닥
아, 왜 껐어!
끄니까 더
이상하잖아!
콩닥
아악…
다 티 났겠다….
콩닥

……형.
두근
어!
어어어, 응!

두근
방금…
티비에 나온 거.
두근
두근
두근
두근
두근
두근
두근
해도 돼?
두근
……
응….
쪽

쪽
쪽
쪽

츄읍

삐걱…

쪽
…….
츄읍
응…….
츄읍

하아

기분 좋아….
합

더.
더….
츄읍
츄ㅡ읍

츄읍
츄읍
……..
슬쩍
응….

……후
읏…….
츄ㅡ읍
쪼
꽈악…

하아
하아
헉
하아
두근
헉
두근
두근
…….
하는… 건가?
두근
두근
슥
두근
두근
두근

꼬옥~~

응?

맞다.
냉장고에 아이스크림 먹어야지.
응?

맛있다~
으응??

결국

아무 일도
없었어.
…….

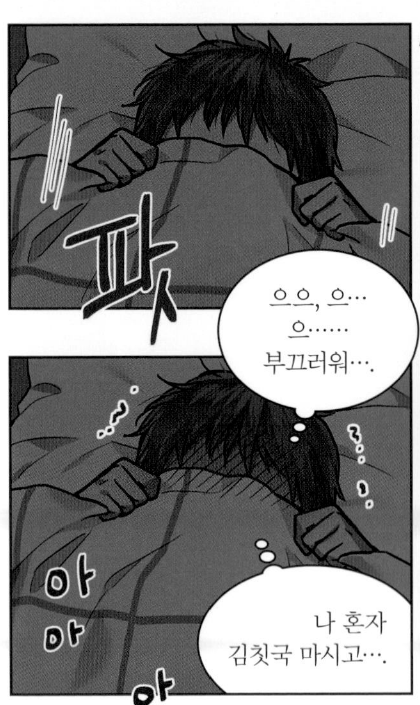
파
으으, 으…
으……
부끄러워….
나 혼자
김칫국 마시고….
아
아
아

하아…
……내가
너무 밝히나?

아니, 근데!
솔직히 하고 싶은 게 당연한 거 아냐?
내가 은하만 몇 년을 좋아했는데.
7년이라고, 7년!

그렇게 오래 좋아했던 사람이 나를 좋아한다고 하고….
키스까지 하고.

그렇게 키스를
잘… 하는데….
…….

…됐어.
그냥 잠이나 자자.
휙

뒤척…

…….
…….
…….
…….
스윽…
…….
부스럭
응…….
형.
뻐걱
……후
뻐걱
…….
형…….
…….
삐걱
삐걱
……응.
흐으…

은하도…
혼자서 하는 일이
있을까?
하아.
빠걱
빠걱
움찔
그야 하겠지만
왠지 상상이 안 가.
다른 사람이랑
자본 적도 있을까?
웃.
움찔
빠걱
움찔
응….
헉
헉
그것도 상상이
안 가….
빠걱
은하가
빠걱
하아
빠걱
헉
웃.
헉
으윽.
빠걱
하아
웃, 으윽.
빠걱
헉억
그런…
일을….
~~~!!!
움찔
움찔
~~~

……
……욱.
부르르…
스…스…
움찔
움찔
후.
우….

하아…
…….

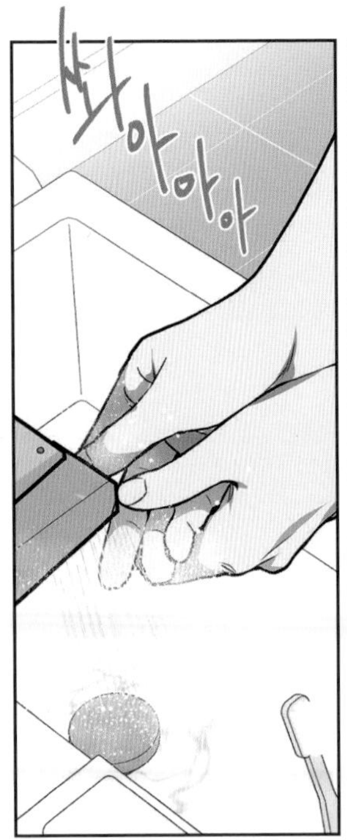
쏴아아아

아아…
욕구불만도
아니고
이게 뭐야.
…….
쏴아아아
…아니다.
욕구불만 맞지, 뭐.

혹시 은하는
이 이상은
아직 하고 싶지
않은 걸까?
아직 그럴 마음이
안 드는 걸까…….

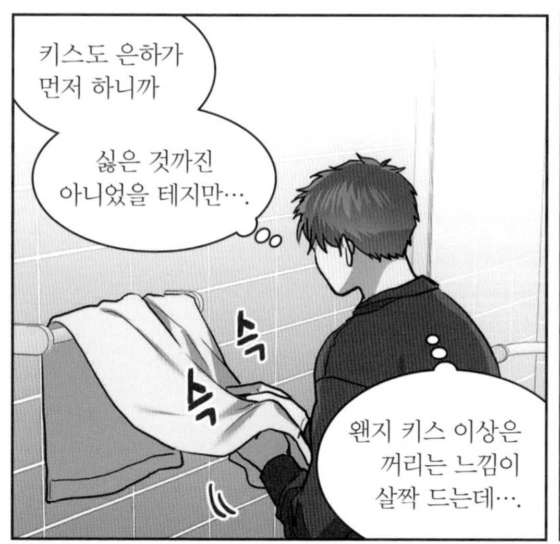
키스도 은하가
먼저 하니까
싫은 것까진
아니었을 테지만….
슥
슥
왠지 키스 이상은
꺼리는 느낌이
살짝 드는데….

기분 탓인가?

펴엉
기분 탓이라고
넘기거나 내가
예민한 거겠지
하지 말고.
헉

훽
훽
아냐, 아냐!
이건 그런 게
아니야!
훽

됐어,
깊게 생각하지
말자.
은하랑 사귄 지
이제 하루밖에
안 됐다고.
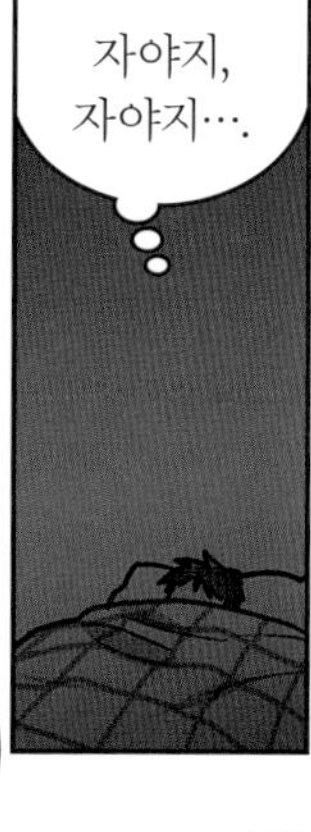
자야지,
자야지….

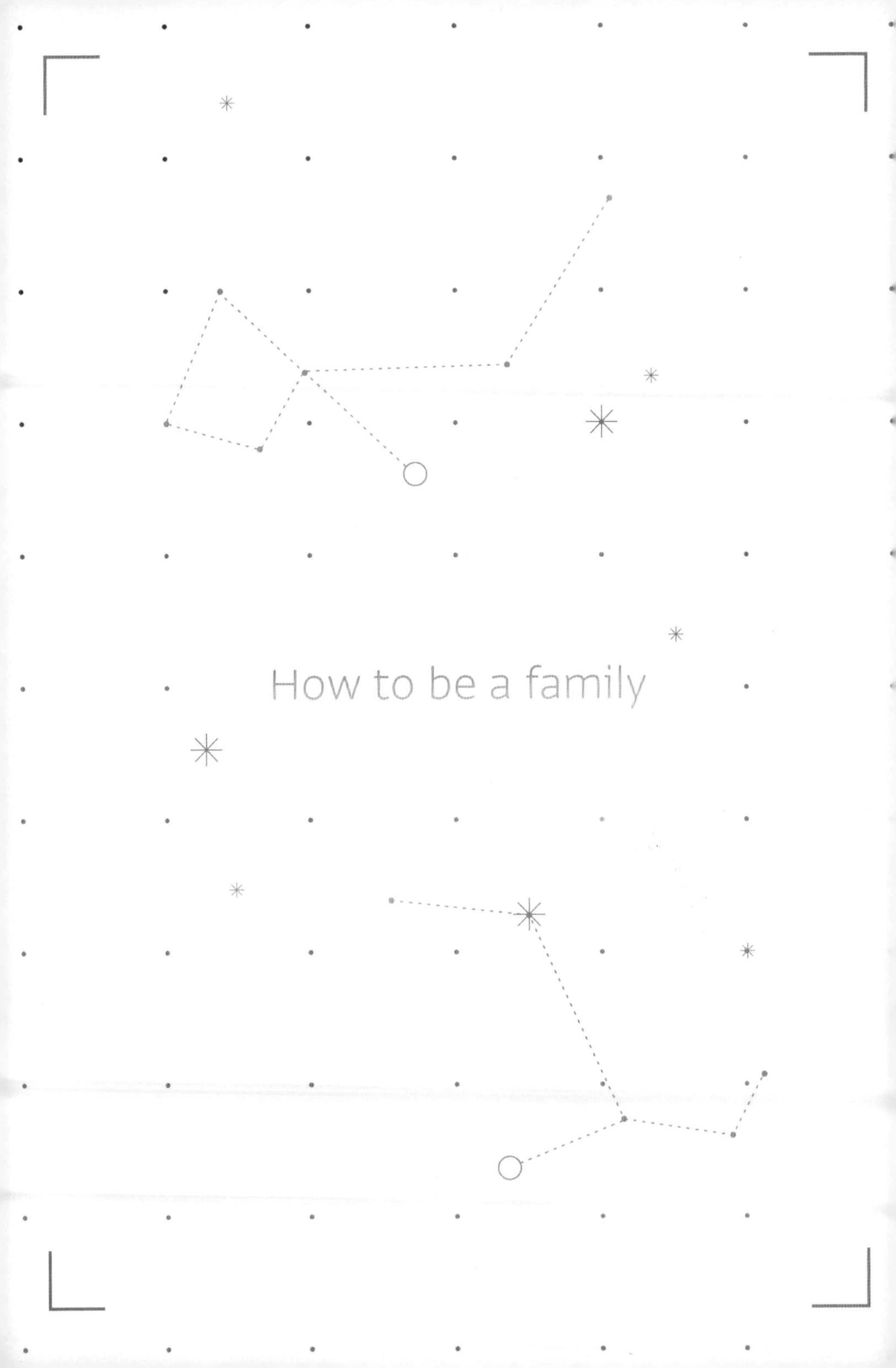

# How to be a family

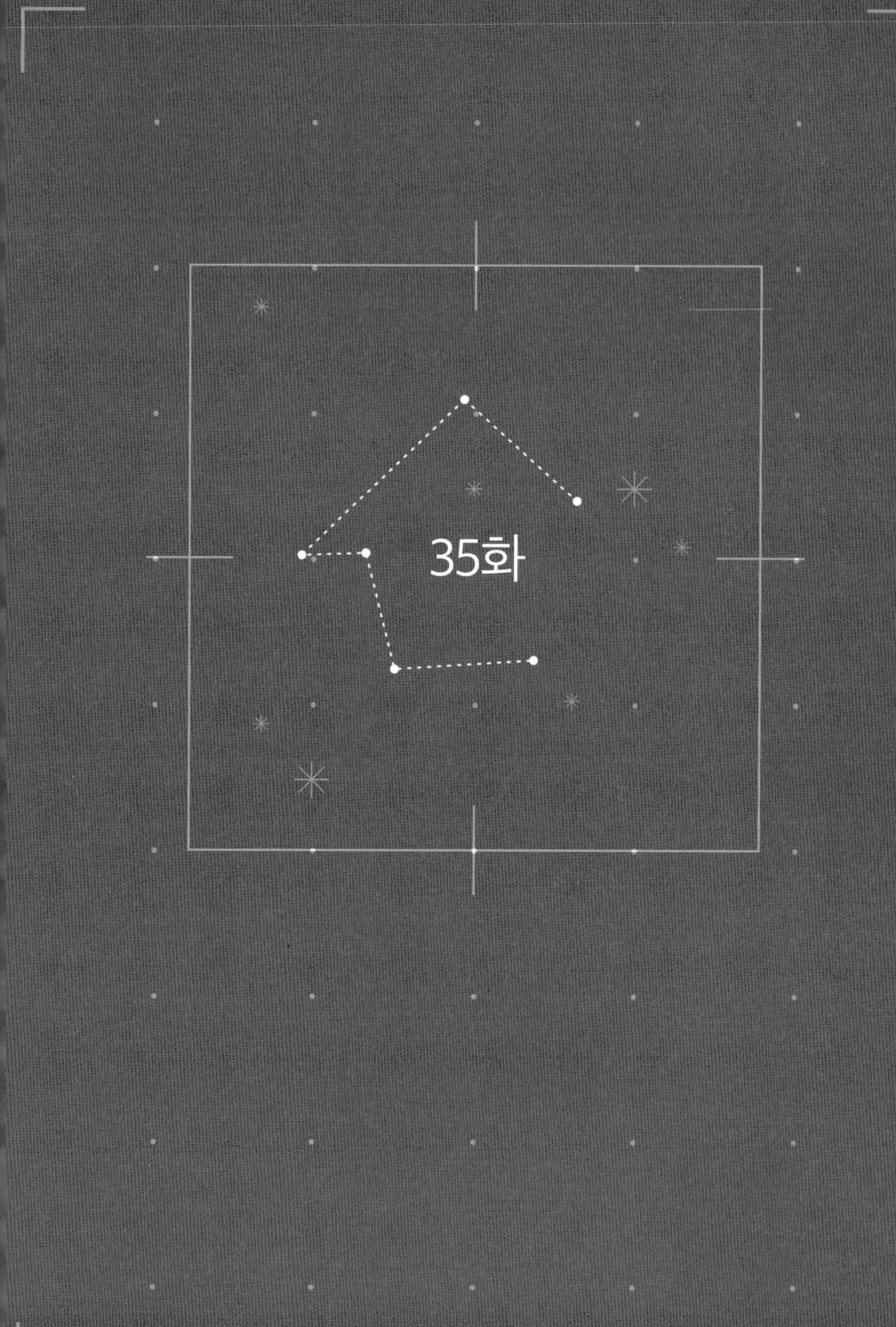

# 35화

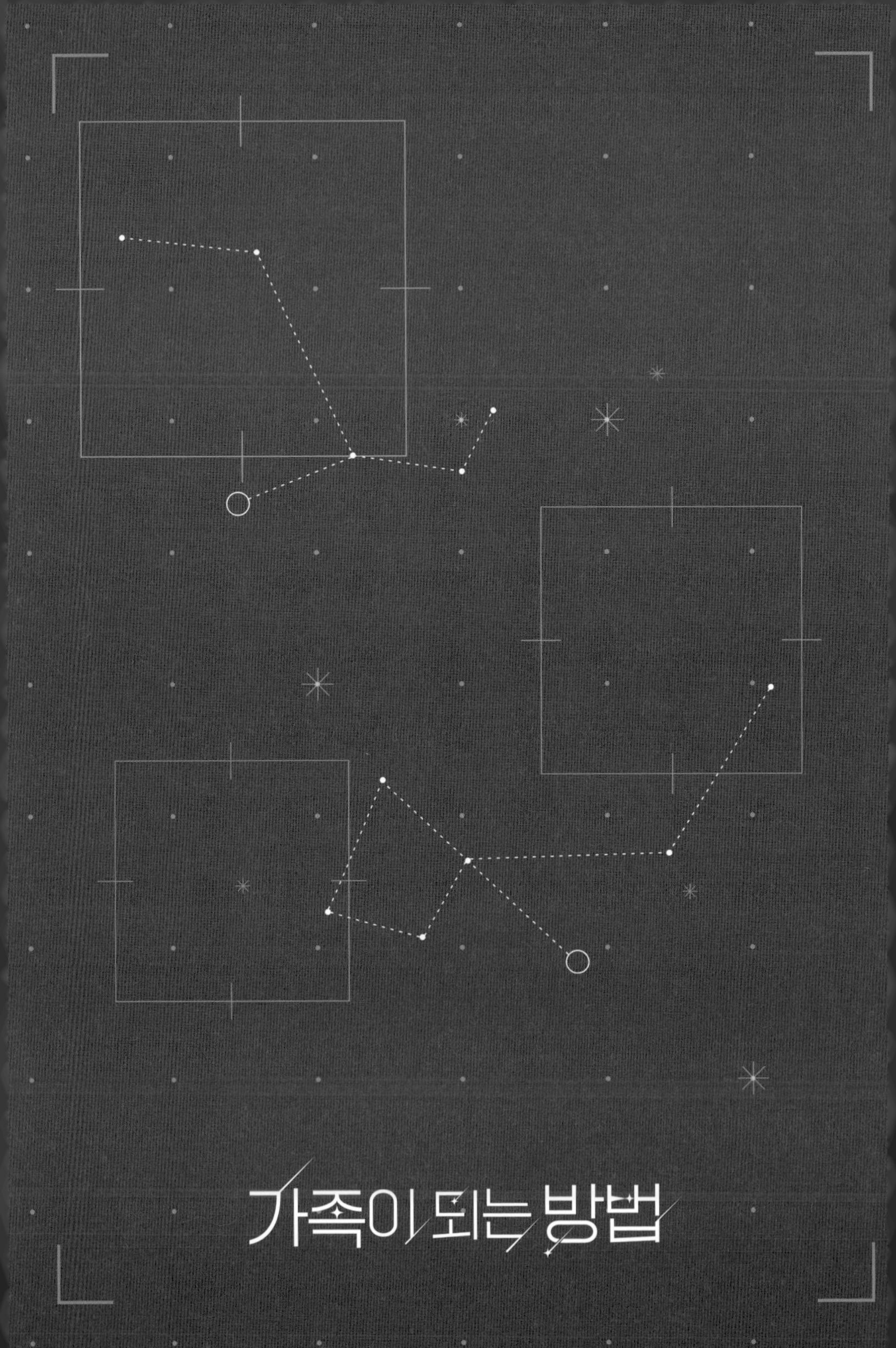
가족이 되는 방법

……아니,
이제 일주일
됐다고요.
벌써 문제가
생기셨어요?
…….

그런 거 아냐.
문제 같은 거
없어.
어이구~
그러세용~.
그럼 저는
문제 없으신 분
옆에서 대충 책이나
읽고 있을게용~.

…….
팔락
팔락

…야…
있잖아….
팔락

내가…
매력이 많이 없는
편인가…?
푸스



쿨럭
아니.
미안,
뭐라고?
쿨럭
쿨럭
…….

COFFEE
맥다방
그러니까, 어….

그…
고민이 생기면
말하라곤 했지만
성생활…
까지는 좀….
TMI
그 성생활이
아예 없었다고.

뭐, 진도야
사람마다 다른 거
아닌가?
음…
그런 느낌이
아니라서….

그럼
무슨 느낌인데.
그게 스킨십은
있는데…
진도가
나갈 것 같으면
멈춰.

혹시 아직은
부담스러운 건가
싶어서 접촉을
자제하려고 해도
은하가 먼저
와서 스킨십을
하거든.

그런데
그 스킨십을
도중에 멈춘다?
응….

그래서 혹시…
은하는
육체적 관계는
원하지 않는데

나한테 맞춰주느라
무리하는 거면
어쩌지 싶어져.
내가 대체
어떻게 해야 할지
모르겠어….

아니, 어쩌면
관계 자체를 후회하고
있는 걸지도 몰라.

막상 사귀어보니
연애 감정이 아니라는 걸
깨달았다면….
그런 거라면….

…….

방법은
하나뿐이야.
뭔데?
대화해.

혼자 머릿속으로
소설 쓰지 말고
가서 대화하라고.
내가 너 이럴 줄
알았다, 진짜.
휙
삽질하기
대장이야, 아주.

지금 한 말들,
나 말고 걔한테
가서 해!
성훈이
이 자식….
사람이 진지하게
고민하는데.

하지만, 뭐….
틀린 말은
없었지…

그치만
성훈이는
모를 거야.

내가 은하를
얼마나 오랫동안
좋아했는지
이루어진 게
얼마나
기적 같은지.
다 꿈만 같아서,
갑자기 깨버리면
어떡하나 하고
얼마나 두려운지.

괜히 이야기를
꺼냈다가
"미안해, 형. 그냥
착각이었나 봐."
…라는 말이라도
나올까 봐 얼마나
무서운지….

…….
나 왔어~.

형!
왔어?!

저녁 만들어놨는데
지금 먹을래?
응.
오늘은 이제
알바 없어?
응!

형 보고
싶었어~
…….
역시 스킨십은
하는데 말이지….

휙

손.
꼬옥…
통과.

포옹.
꼬옥~
통과.

키스….
…….

쪽

쪽
쪽
쪽
쪽
쪼옵

키스….
헉
헉
헉
통과…….

하지만
이 다음은….

배고프지?
밥 먹자.
역시…….

대화해!
알았어.
알았다니까.

대화하면
되잖아.
냠
냠

대화하면.

대화….
치카
치카
구르륵

대화해야
하는데~!!!
하루가
끝나
버렸어
형 피곤하겠다.
이제 잘 거지?

아, 응.
자야지….

쪽
쪽
쪽
쪽
하...
휙
!
합

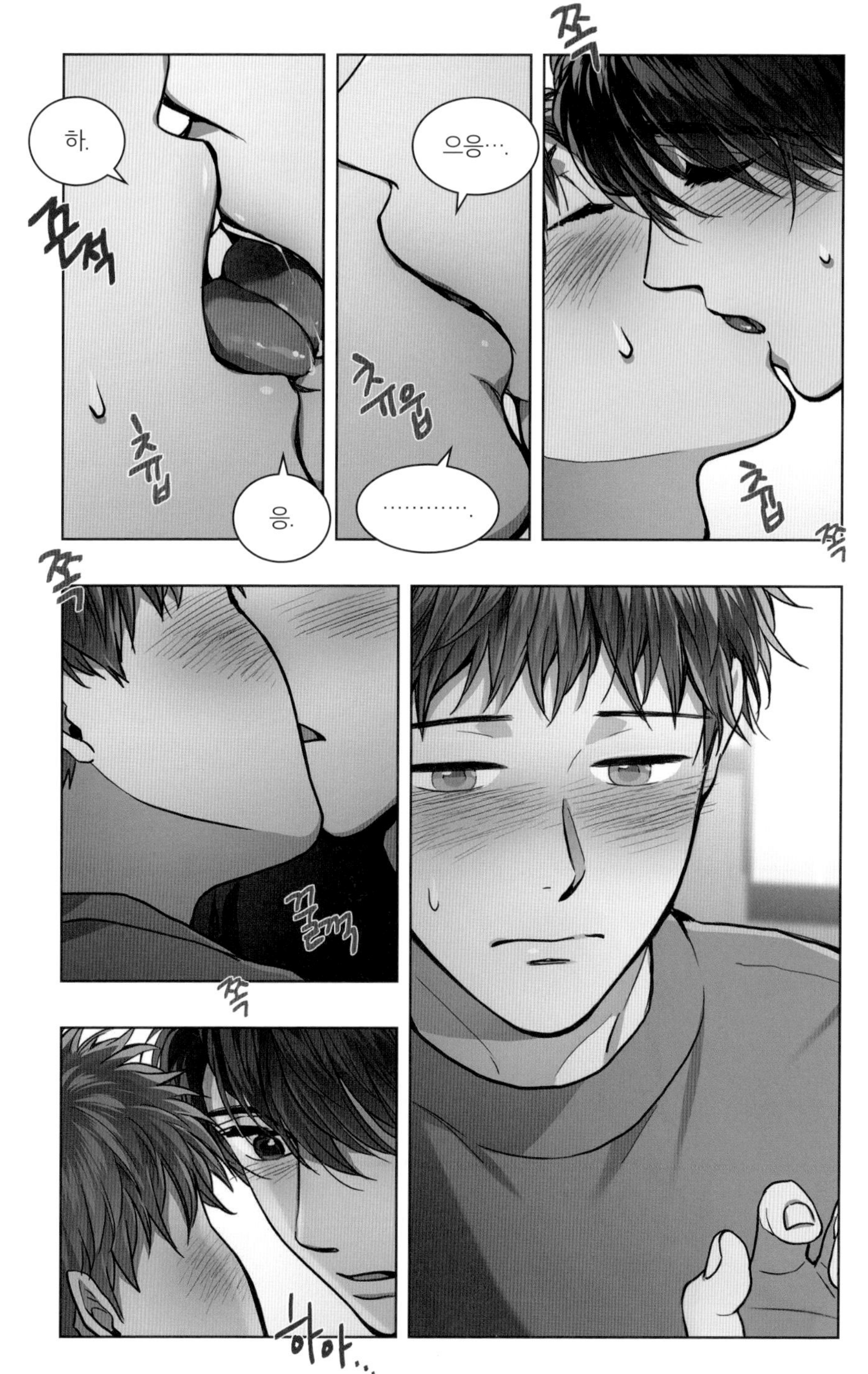
하.
쪼옥
쮸읍
응.
츄읍
으응….
………….
쪽
츱
쪽
쪽
꿀꺽
쪽
하아…

…잘 자, 은하야.

…….

…….
…….

왜… 왜 말을
못 하냐고….
멍청아….

모르겠다,
오늘은 글렀다.
그냥 자자,
자….
째깍
째깍
째깍
째깍
째깍
째깍
잠이….
안 와….
째깍

…….
…….

지금쯤이면….
은하도
잠들었으려나?

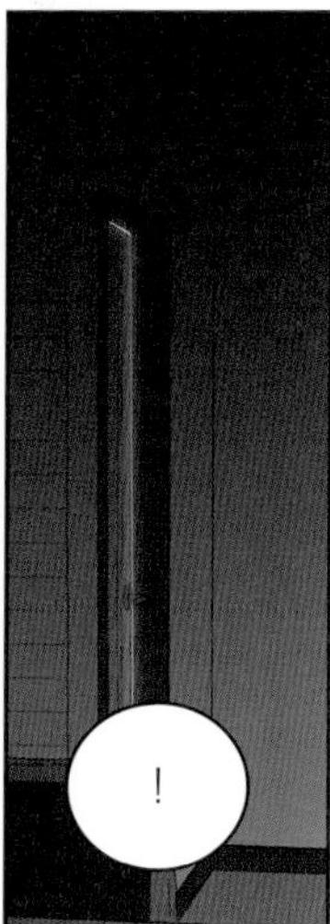
!

좋아,
그냥 가볍게
얘기해보는 거야.
가볍게.
가볍게….

후- 하-
후- 하-

똑
똑

조용…

…….
은하야… 자?

……불 켜고
자나?

달칵
두근

도연이 형….
무슨 일이야?

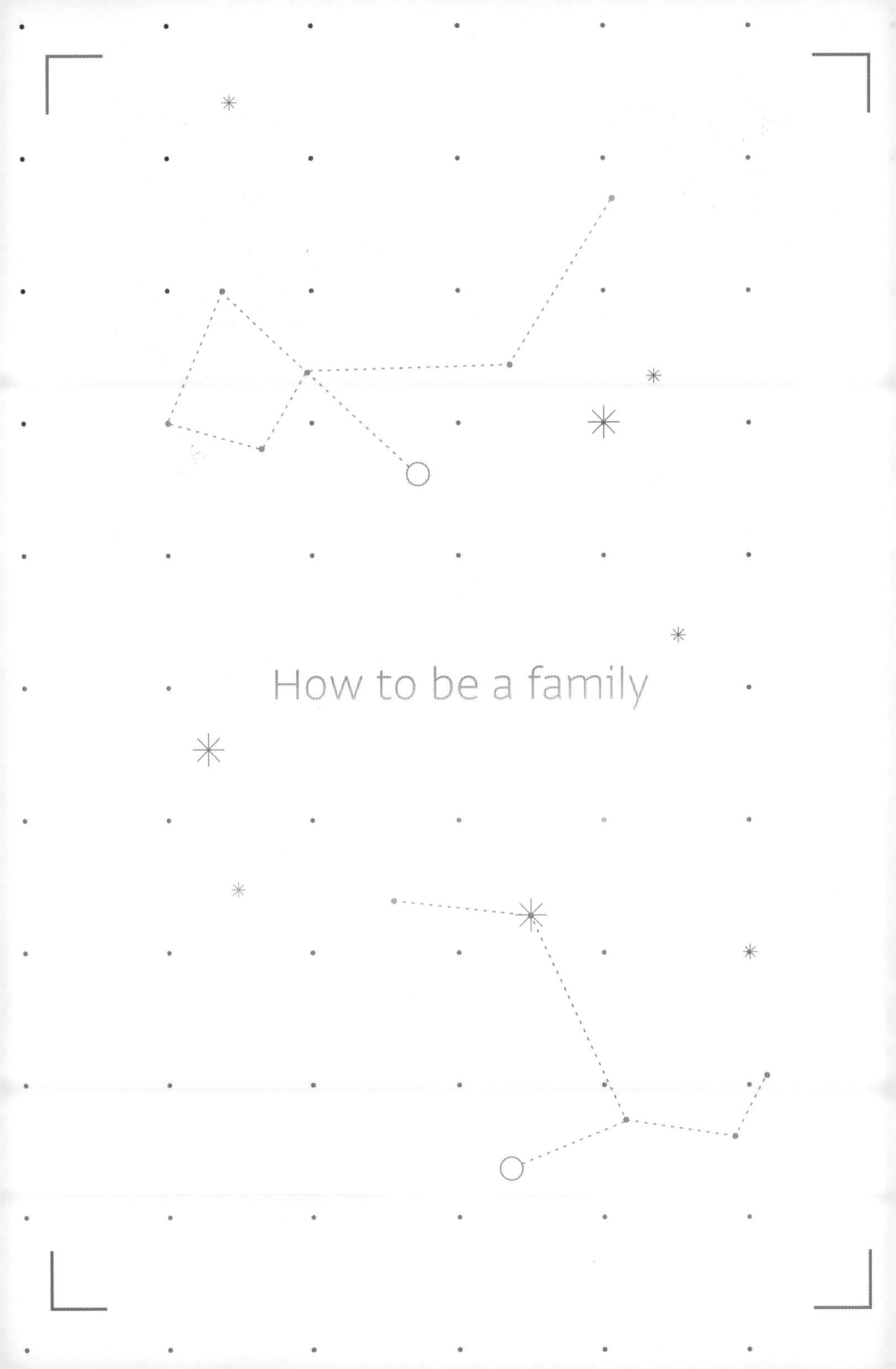
How to be a family

# 36화

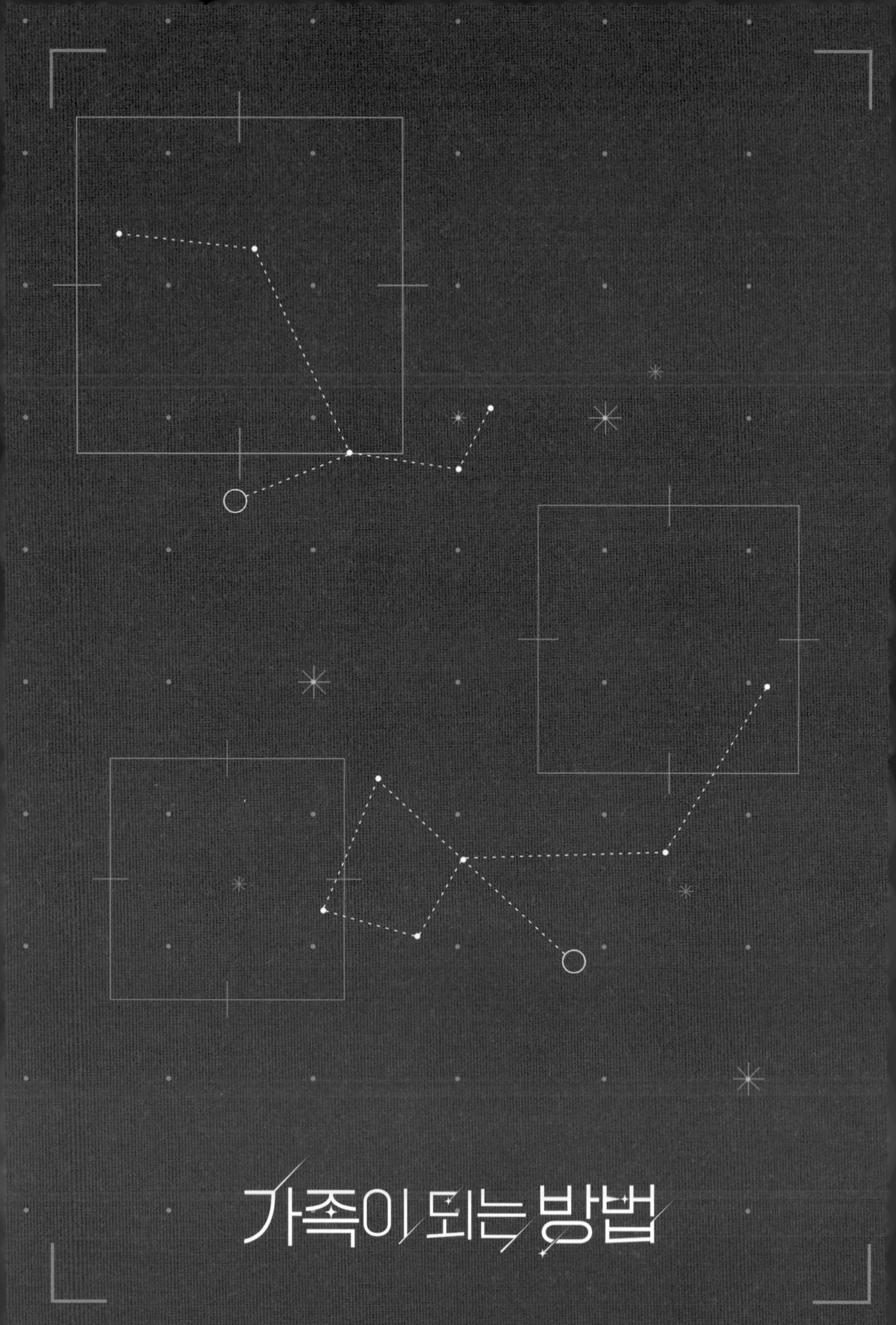

가족이 되는 방법

달칵
드륵

도연이 형….
무슨 일이야?

아, 그게…
이야기나 할까 하고.
잠이 안 와서….

들어가도 돼?
덜컹
!
어….

지금 방은 좀.
그게….
더럽거든.

깨끗해…
보이는데.
…….

거실에서
얘기할까?

꾸욱….

형!
왜 그래?
무슨 일
있어?!
나…
난….

왜 울어.
힘든 일
있었어?
나….

방에 들어갈래.

응…?
내가 네 방에 들어가는 게 싫어?
아니, 그런 게 아니라….

형.
나랑 단둘이 방에 있으면 부담스러워?
그런 분위기 될까 봐?

나랑 사귀는 거 후회해?

형, 들어와.
방에
들어와도 돼.
형이 생각하는
그런 거 정말
아니야.
미안해…
미안해, 은하야.
내가 아직도
못 믿나 봐.
네가, 막상 만나보니
연애 감정이
아니라는 걸
깨달았을까 봐.

형.
도연이 형.
갑자기
무서워져서,
그래서….
나 좀 봐봐.

형!

꼬옥

미안해,
그런 생각하게
만들어서….
내가 후회할 리
없잖아.
내가 어떻게
어떻게 감히.
상상도
해본 적 없어.

…그럼, 왜
키스까지밖에
안 해…?
…….

…그래서
운 거야?
자포
자기!!
그래서 울었다.

…….

………….
알았어… 들어와.

달칵…

…깨끗하잖아.

깨끗한데?
뭐가….

어.

으…
하아.
오싹
하아…
미안해, 형.
참기 힘들어서….

미안해.
쪽
미안해, 형.
쪽
아….
쪽
하아
흣!
오싹
미안해….
오싹

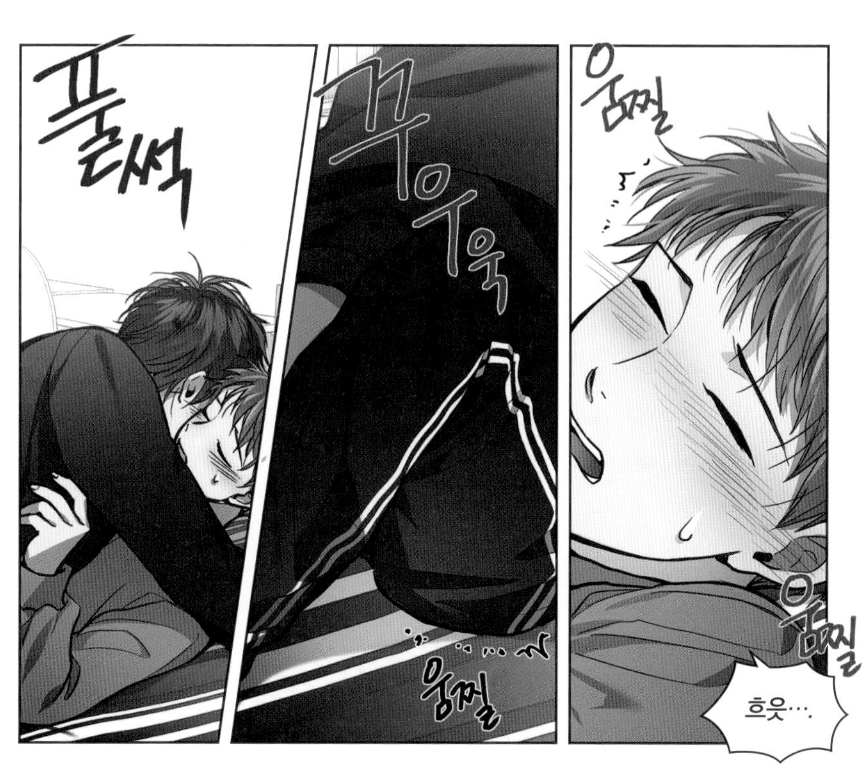
풀썩
꾸우욱
움찔
움찔
움찔
흐읏….

형.
형.
쪽
으.
웃!
츄읍
헉
아.
츄읍
도연이 형….

내가… 내 욕망대로
형을 안았다가
형이 나한테 실망할까 봐
너무 두려웠어.

그래서
형이 원하는 일만
하고 싶었어.

형이
손잡고 싶어 하면
손을 잡아주고.

키스하고 싶어
하는 것 같으면,
그렇게 하고.

그런데 그 이상은
무서웠어.

…………….
난….

은하야.

우리…
비슷한 고민하고
있었네.
웃기다, 그치.
근데 은하야.
난 네가,
내가 싫어하는 일을
해도 괜찮아.
넌 내가
싫다고만 하면 바로
그만둘 거잖아.
그러면 난 네가
싫어하는 일을
아무리 많이 해도
널 좋아할 수
있어.

그래줄 거지?

…응.
……그럴게….

…정말 해도
되는 거지?
나 제발 하자고
울면서 찾아왔거든.

쪽
응….

슥

으.
아!
움찔

움찔
잠깐, 갑자기….
으응,
하앗
움찔
형….
섰네.

왜 방에
못 들어오게 했는지
말해줄까?
헉

?
하아
왜….

들킬까 봐
그랬어.

형 생각하면서
혼자 했으니까….
화아악

내가 형이랑
하기 싫어한다고?
아.
부담스러워
한다고?
말도 안 돼.

난 형이
옆에만 있어도 미칠 것
같단 말이야….
하아.
은하야.
잠깐, 읏….

내가 얼마나
참았는지 형은
모를 거야.
꾸욱
응…!
내 마음도 모르고
형은
자꾸만 날 끌어안고,
내 입술에 키스하고.
아,
흣
움찔
읍
내 아래에서
올려다보고….
움찔

……
소곤
…했는지….
응?

화악
?!

무슨 생각하면서
했는지…
알려줘.

나한테
지금 해봐.

네 상상 속에서
했던 거 전부.

…싫어하지
않을 거지?

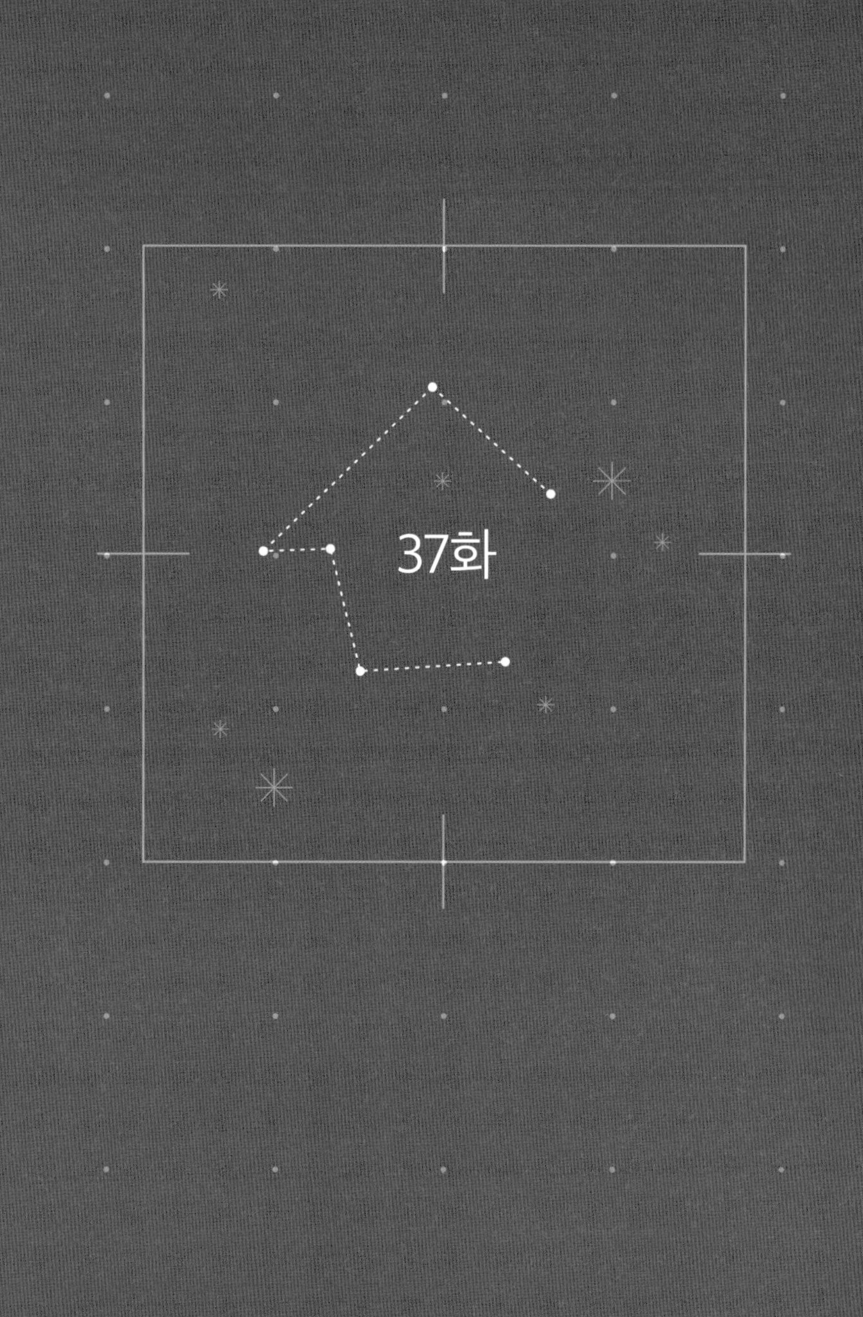

# 37화

가족이 되는 방법

……아.

…으.
읏!
흐으─.

은…
…하아.
아아.

아.
앗!
움찔
아아!

앗, 아….
으….
헉

형…
정말
너무 야해.
너무….

네가 더…
야해….
왜 이렇게
잘해?
하아
대체 얼마나
해봤길래….

난 형이
처음인걸.
뭐?
거짓말
하지 마.
헉

정말인데….
형이 너무
민감해서 그래.
질꺽
움찔
아!
질꺽
읏…!
으.
이거 봐.
야하잖아.
…….
하아.
쪽
……응
후…….
……?
툭
투둑
혁!
혹시
또 코피가?
헉

흐우…

?!

왜왜왜왜왜
왜 울어?
어?
그러네….
몰랐어

어디
안 좋아?
힘들어?
아냐, 아냐.
안 그래, 멀쩡해.

오히려
너무 건강해서
문제인데….
아, 너무 좋아서
눈물이 나나?
쪽
쪽
뭐래….

형도
울고 있잖아.
왜 울어?
어,
그….

너무…
좋아서…?
…….

쪽
정말….
형은
왜 그렇게 자꾸
야하고 그래.
쪽
쪽
네가 더…
앗.

쪽
…….
쪽
오늘… 끝까지
하는 거 맞겠지?
힐끔

저게…
가능할까?
뷰우욱

나름 이것저것
혼자 준비하긴
했지만
그래도
저건 좀….

아무리 준비를
했다곤 해도…
처음인데
괜찮을까?
죽진
않겠지?

형, 무슨 생각을
그렇게 해….
괜찮아?

…….

혹시 아팠어?
별로였어?
미안해, 형.
내가 너무 멋대로
밀어붙여서….
아냐,
그건 조…
좋았는데….
그…
이제….

해……
봐도 되나….

…….

!

미안해, 형이
하고 싶었구나.
내가 너무
눈치 없이…
잠깐만.
어?

여기,
이거 받아.
어어?
언제
준비했대?

풀썩
우왓!!

……어….

쪽

화아악

극그그극그그게,
아니, 내가 아니라
네가
해줬으면 좋겠다는
거였는데….
으아아
으아아
아아아
으아아아아아~!
뭐야, 뭐야.

내가 형에게?
토마토
…그래!

안 돼!

응?
…아, 네 취향
받는 쪽이었어?
오…
오…
흐오오…
뭉게
뭉게
아, 그게…
그렇다기
보단….

형이
아플까 봐….

응?
응?

잠깐만…
너도
처음이라며.
응.

나는 넣어도
안 아플 것 같다
그거니?
아냐!!
아니야!!!

난 다쳐도
상관없지만
형이 다치는 건
싫으니까 그런
거라고.
으앙
됐어,
너의 진심 잘
알았어….
형~!

그냥
천천히 하자.
다치면
어떡해….
쪽
쪽
쪽

쪽
천천히
조금씩 하는 게
안전할 거야.
쪽

……했어…….
응?

나 혼자…
준비…….
해왔다고…….

자세히 말해줘.
홱
뭐?

멈칫

손으로 했어?
기구로?

응?
……

어떻게 했어?
알려줘.

쭈우욱

가르쳐줘, 형.
난 처음이잖아.
털썩
우앗!

나…
도.
처음….
어떻게 해야 형이 느끼는지 알려줘.

어디를 눌러야 하는지.
…응.
흐읏.
질척
질척
어디를 만지는 게 좋은지….

…정말이네, 형.
구우욱
아,
움찔
아아
손가락이 쉽게 들어가….
아

여기?
하.
질척
꾹
윽!
질척
꾸욱
여기야?

여기?
꾹
아!!
움찔

여기구나.
끄덕
끄덕
끄덕

으득…

형…
미안해.
투둑
툭
이제
못 참겠어….

아프면 말해야 해.
또
운다.
알았지?

정말로
너무 좋아서
우는 걸까?

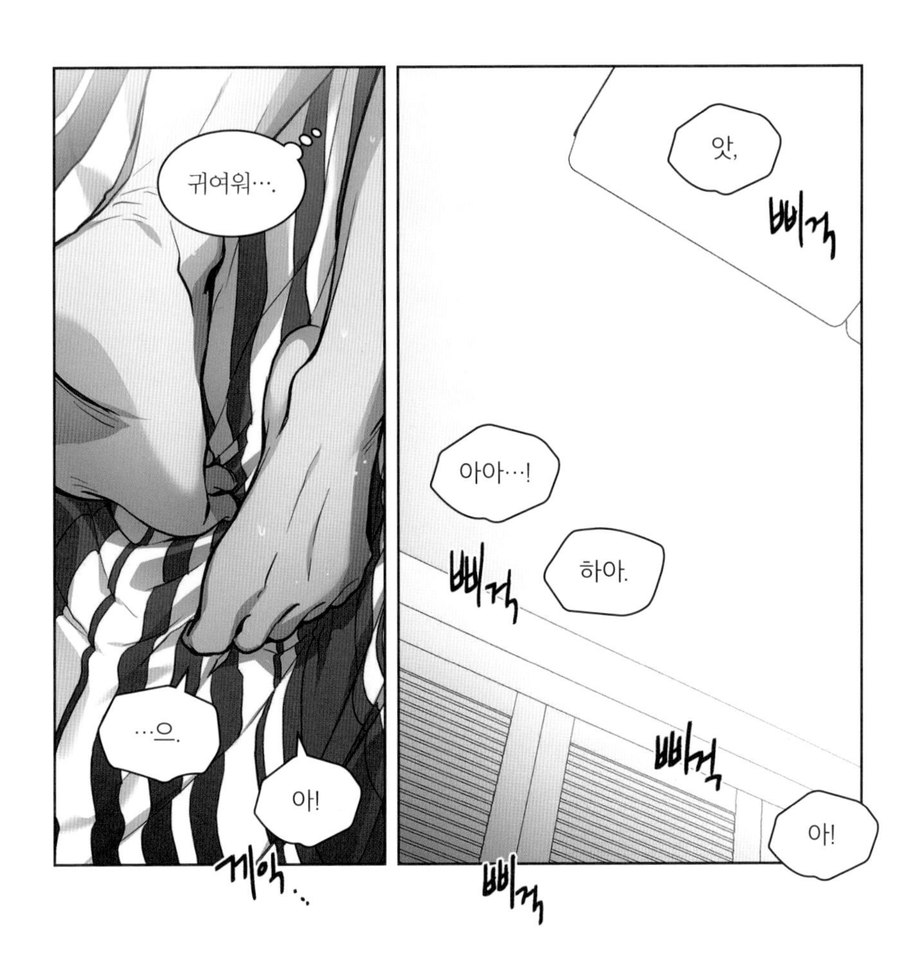
귀여워….
…으.
아!
끼익…
앗,
삐걱
아아…!
하아.
삐걱
삐걱
아!
삐걱

아앗!
아….
삐걱

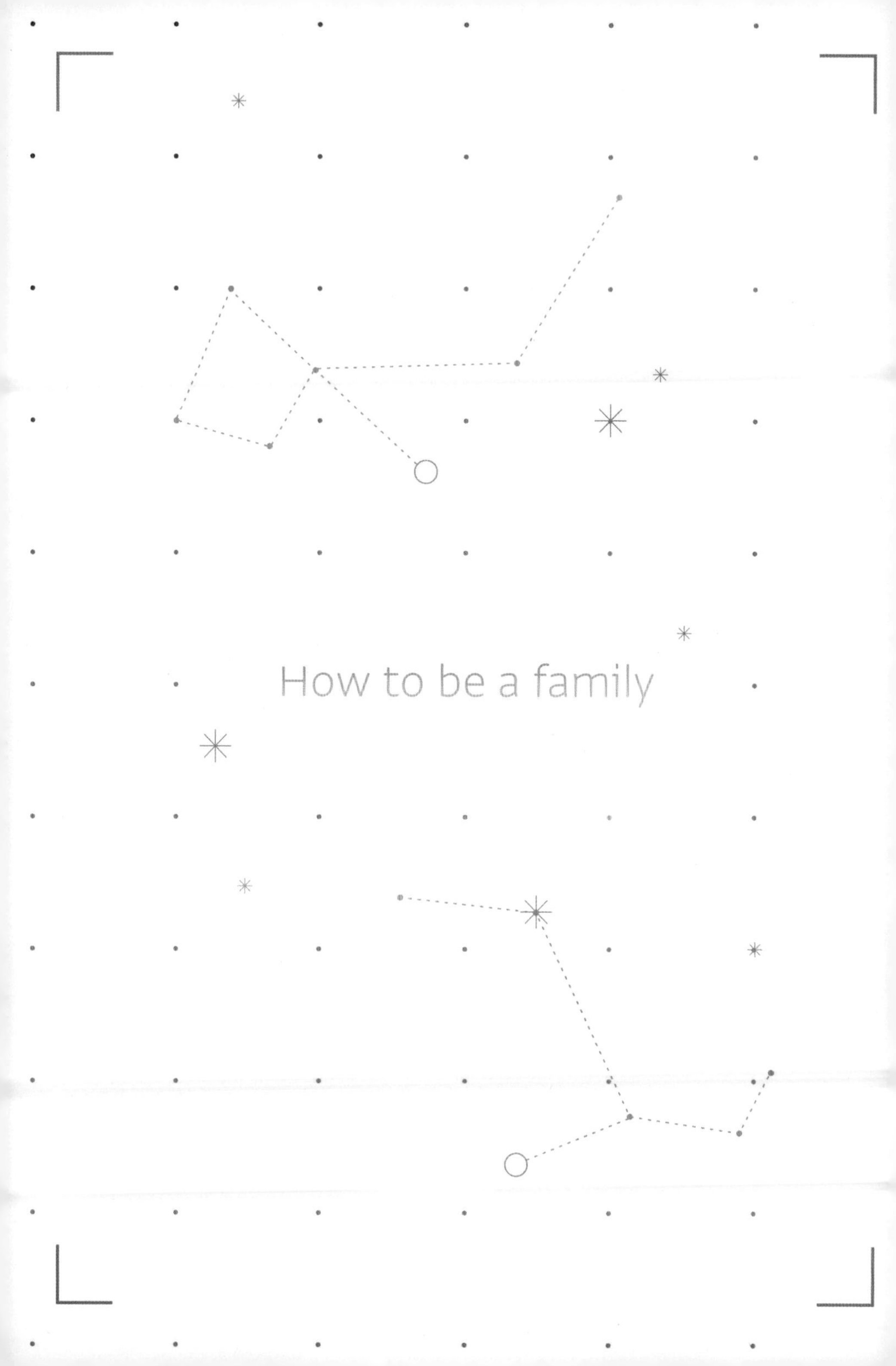

# How to be a family

# 38화

가족이 되는 방법

짹
짹
짹
짹

짹
짹
짹
짹
짹
짹
…….
응…….

……
어…….

…………….
삐걱
아!
으, 은…
은하야.
삐걱
이상,
이상해—.
삐걱
하아, 형….
흣!
아,
읔….
헉
형, 좋아.
아!
삐걱
천천히…
삐걱
너무 좋아….
삐걱
하아.
움찔
으…
형.
앗!
삐걱
형…….
…………….

38화

어제…
너무 많은 일이 일어나서
하루 만에 10년은 지난 기분이야….

대체 몇 시까지 했었지?
마지막엔 기억도 희미해서…
언제 잠든 건지 모르겠어.

형.

어…
언제 깼어?
방금.

아, 자국이
안 없어지네….
몸은
좀 괜찮아?
아픈 곳은 없고?
스윽
헉.

이불 밑에
다 벗었…….
아니,
부끄러워하는
것도 새삼스럽긴
하지만.
슬금
…뻐근하긴
한데
슬금
괜찮은 거
같아….

으악,
나 뭐야.
UP!!
어제 그렇게
해놓고 아침이라고
또 세운 거야?!
아, 안
들켰겠지?
…….

형…
정말로
괜찮아?
가라
앉아라…
가라
앉아라….
후―
후―
괜찮아.

어제… 너무…
이상했어?
후…
응?

…….
으응?

어제
너무 아팠어?
힘들었어?
아니면 너무
기분 나빴어…?
미안해, 형,
내가 너무….
아냐, 아냐.
아니야.
왜 그래!

그냥 그,
부끄러워서
그런 거지.
어제
내가 너무….
아무튼,
안 이상했어.
좋았어.

어제 왜?
너무 뭐?
…내가 어제 좀…
말할 필요 없는
것까지 너무….

혼자서
준비해온 거?
조용히
안 해?
퍽
아야.

나는 그 말
들었을 때 너무
좋았는데.
엄청나게
흥분했는데.
쪽
쪽
쪽
그…래.
그렇다니
다행…이다….

어제 내가
울면서 찾아
왔을 때
은하도
이런 난감한
기분이었을까….
계속 떠오르는
창피한 기억들.
토닥
토닥

풀썩
어휴~.
안 되겠다.
우리
혼자 생각하기
금지해야겠다.
너나 나나
혼자 삽질하는 거
왜 이렇게 잘하지.

정말
괜찮은 거지…?
그니까…
그냥 부끄러워서
그런 거라고.
어젠
내가 정말…
하…….
됐고, 그냥
다 잊어주라.

싫어.

어떻게 잊어.
형이랑
처음 잔 날인데.

쪽
죽을 때까지
못 잊을걸.

그…
렇게 말하면
더 후회되는데.
쪽팔린 기억이
죽을 때까지….
아니라니까.
너무 좋았어.
두근
두근

그런 말
더 많이 해줘.
쪽

움찔

쪽
…….
은하야.
쪽

할짝
은…
…….
움찔

…….
할짝
할짝
깨물
……읏.
움찔
쪼옥
…해도 돼?
오싹
………….
너 일부러
묻는 거지….
빨리 해

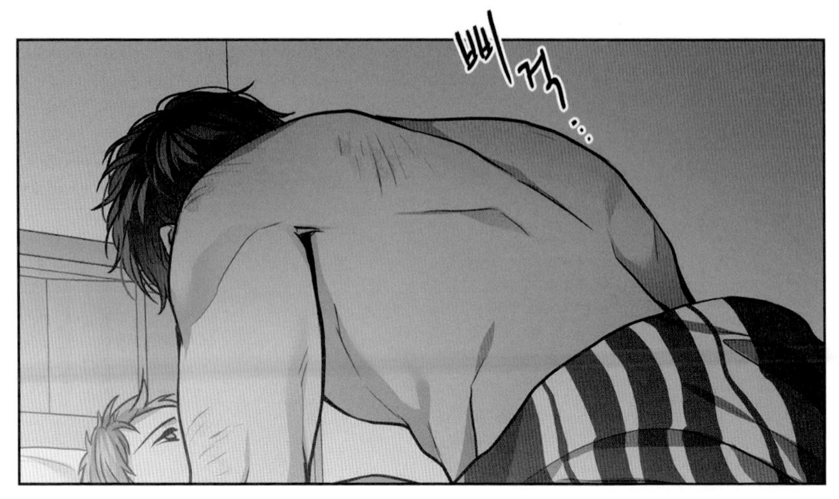
삐걱...

일렁

두근...

쪽
……후.

하아.

아….
나도 아마
못 잊을 거야.

문틈으로
새어 나오던
불빛.

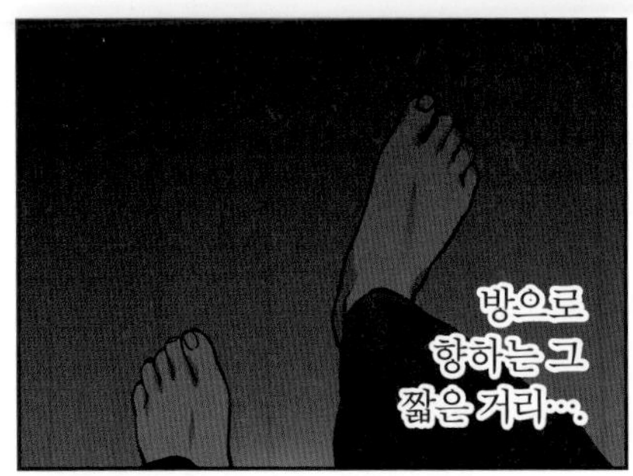
방으로
향하는 그
짧은 거리….

나를
달래주던
은하의 모습과

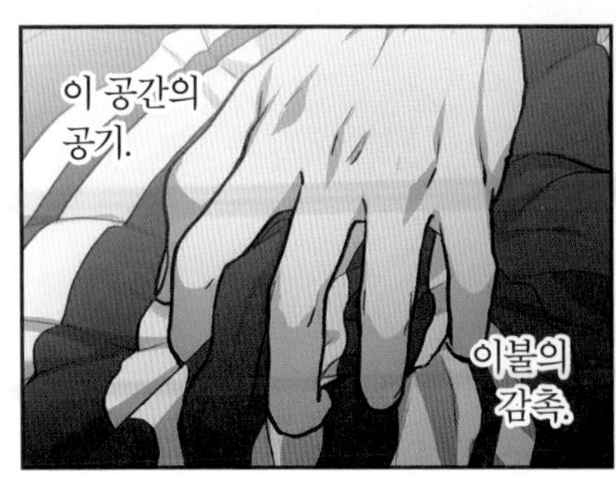
이 공간의
공기.
이불의
감촉.

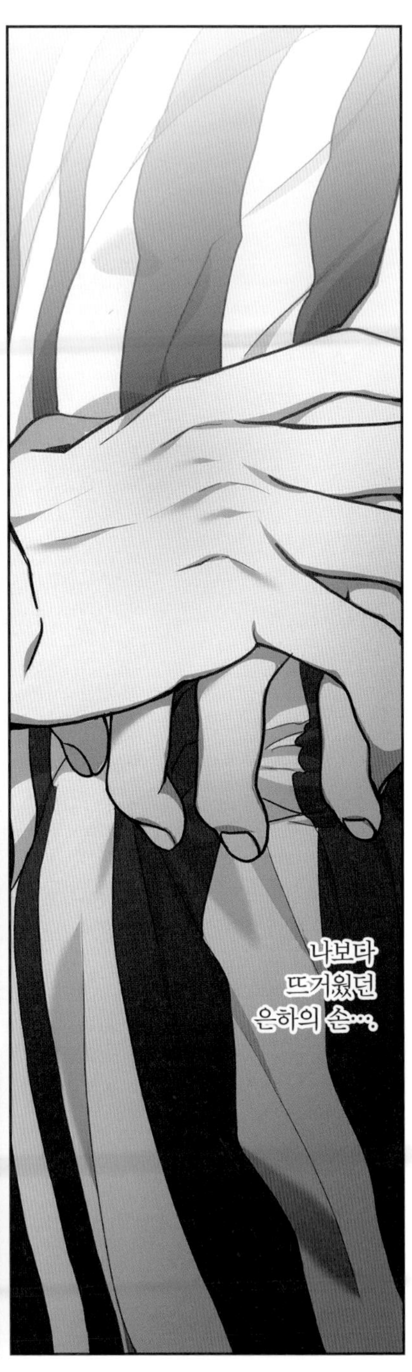
나보다
뜨거웠던
은하의 손….

전부

죽어서도
못 잊겠지.

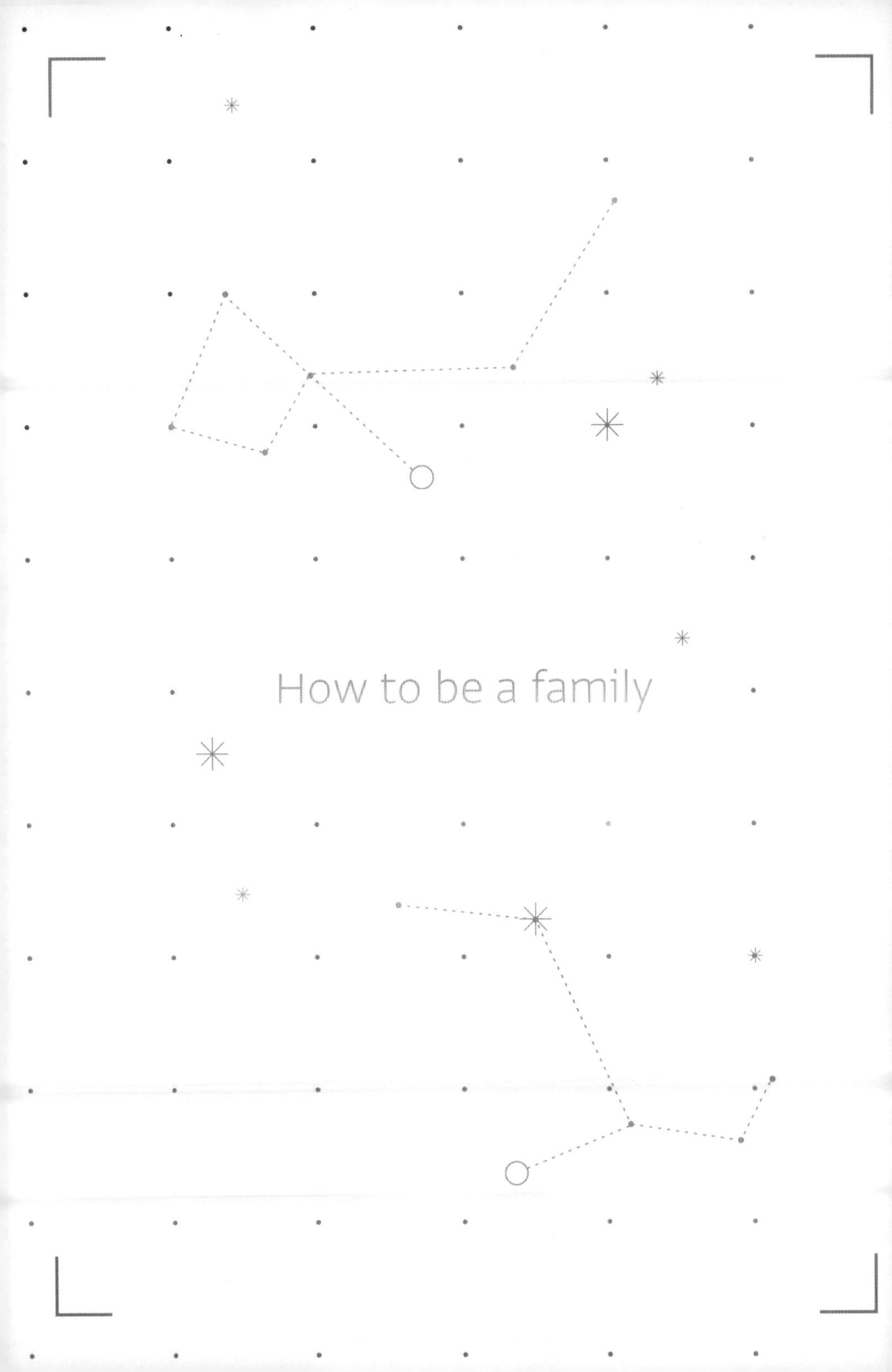
How to be a family

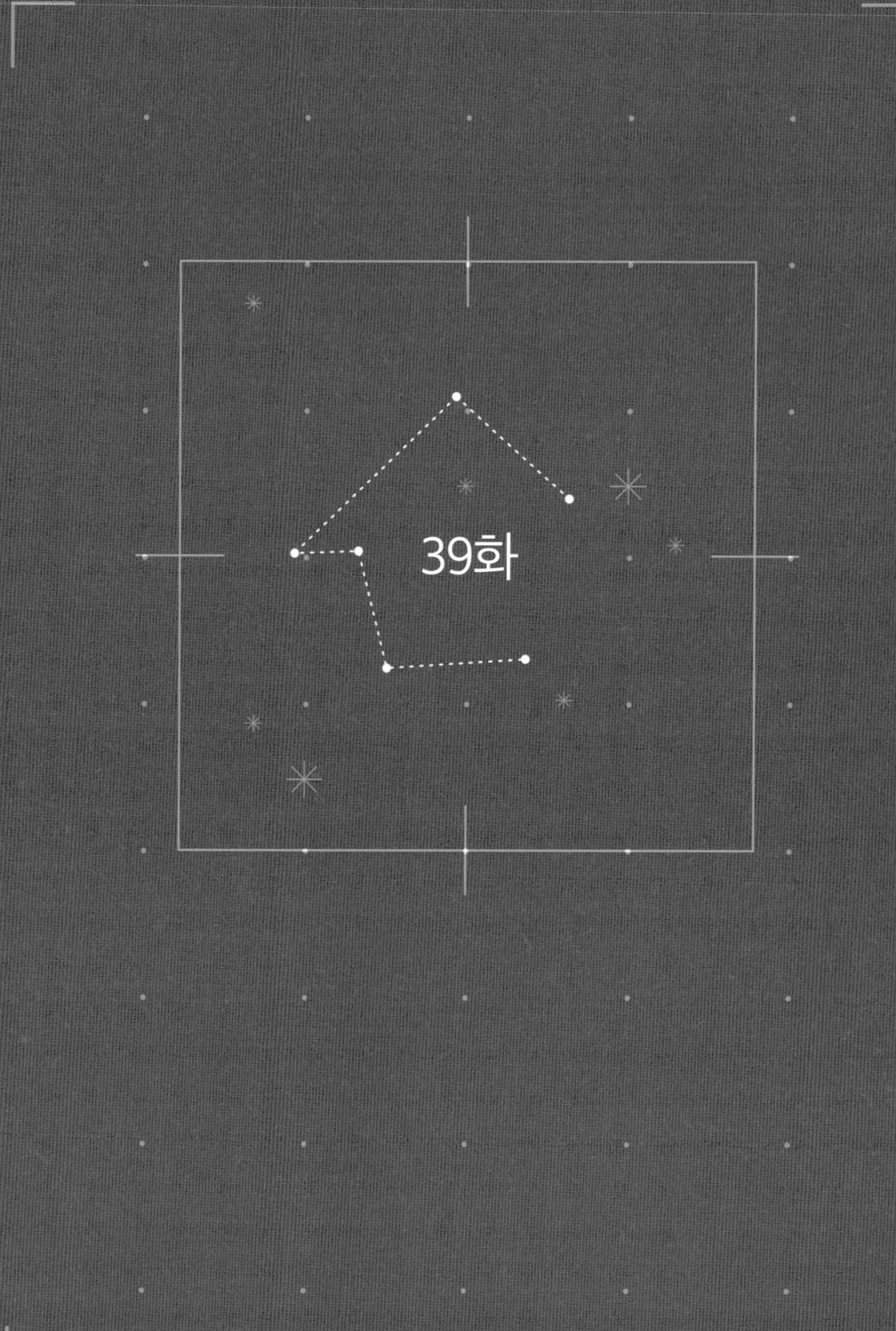

# 39화

가족이 되는 방법

후…….

뭐야?
왜 한숨 쉬고 그래.
…….

친구야……
네가 행복하다니 나도 좋다. 좋은데….
??

근데 말이지….
넌 참…
알고 싶지 않은 것까지 다 알게 된단 말이지….
뭐?
뭔데.
아냐, 이번엔 진짜 아무 말도 하지 마.
더는 알고싶지 않다...

일단…
옆에 화장실 보이지? 갔다 와.
엥?
나 안 마렵….
가서 거울 좀 보고 오라고.

성훈이 놈….
갑자기 왜 저래?

대체 뭐가…
…….
…….
………….

끄아아아아…!!!
소리없는 비명
39화

으…
창피해…….
이러고
다녔다니…….
ㅠㅠ
급하게
나오느라 거울을
못 봤었지.

앞으로는
꼭 보고 나와야
겠다.
성훈이가
눈치채서
다행이었지.

안 그랬으면
하루 종일 이러고
다닐 뻔했네.
으아아

행복하다니 다행인데
티 좀 그만 내라!
이 걸어 다니는
TMI 자판기야.
그래,
행복하다.
무지하게
행복해.

부모님의 재혼으로
만나서 형제로
시작했던 사이였기에
이루어질 수 없다고
생각하며 마음을
버리려 했는데….

그런데,
그런데 말이지.

그런 일들을
겪고 났으니

이제 은하가
어떤 사람인지
알 것 같다고
자신했거든.

사실은
하나도
몰랐었나 봐….

…….
헉
윽…….
하, 아….
덜덜
후…….

헉….
꾸우욱
하아—.
…………흣.
형……
기분 좋아?
온몸이 새빨갛게
됐어….
응….
덜컹
흐읏!
덜컹
아아…
앗!
움찔
움찔
아…!
여기가
좋아, 형?
할짝
응……?
꾸우욱
좋, 아—
앗….

내가 알던
은하가 아니야.
헉
할짝
이분…
이분은
대체.
누구시냐고!
내 안의 은하는
순수했는데.
사귀기 전엔
형, 형 하면서
졸졸 따라다니기만
했을 뿐
그런 낌새는
전혀 없었는데.
그래서
역시 형제애가
아닐까 의심하곤
했는데….

처음
잤던 날 이후로
봉인이라도
풀린 듯이
쪽
쪽
쪽
앗
아….
틈만 나면
달라붙는
이분은 대체….
하아,
쪽
쪼옵
앗
응….
내가 알던
은하가 맞는지….
아!
앗
덜컹
아읏
덜컹

………….
…어, 그래.
수습 잘하고
왔니?
네…
고맙습니다….

…….
나 왔어…….

형!
어서 와!

이런 모습은
그대론데.
너무너무
보고 싶었어.

쪽

쪽
쪽
쪽
우….
읏—.
으응.

쪽
…….
츕
츄읍
……흐읏
쪽
하아….

흐
…….

쪽
잠깐,
잠깐만….
쪽
어제
너무 많이 해서
아직 아파….

정말?!
미안해, 형.
내가 너무 많이
해서….
병원 갈까?!
아냐아냐!
그 정도는
아냐!

아무튼,
조금만 나중에….
근데…
형, 섰는데.
읏

이거는
네가 너무, 자꾸
그러니까….
슬
슬
슬
잠깐!
어딜 내려가.

이대로 형이
불편할 테니까….
해결해주려고.

?
뭘 어떻게….

톡톡

은하야,
잠깐만.
꾸욱
됐다니까.

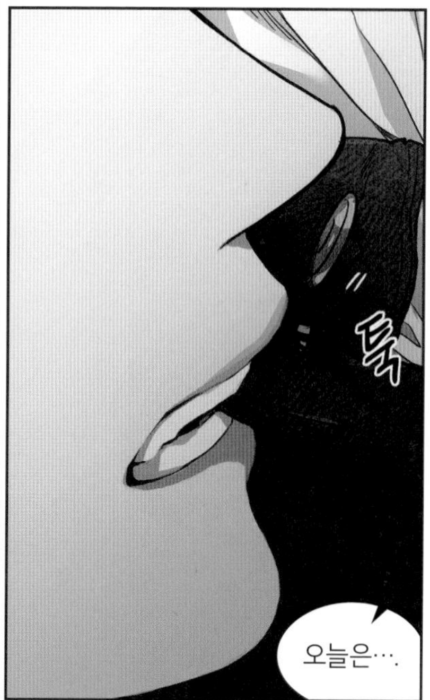
툭
오늘은….

…….
이것만 할게.

맘대로…
맘대로 해….
쪽
쪽
춥
쭙
아!
앗—.
하읏!

아~
정말
은하 너…….

그동안 대체
어떻게 참은 거야.

응?
결국 했음
너 말이야,
성욕이라곤 조금도
없어 보였는데
다 내숭이었어.

…….
싫었어……?

이것도
끼 부리는 거지.
이제 다 알아,
안다고.
꼬우욱
아허~~~.
(아퍼~~~.)

티잉

아냐, 정말
걱정된다구….
내가
너무 밝혔어?
변태 같아?
이제
내가 싫어?
잉잉
………….

…….
…당연히
좋다는 뜻이지.
바보야.

그래….
결국은 다,
좋다는 말이야.

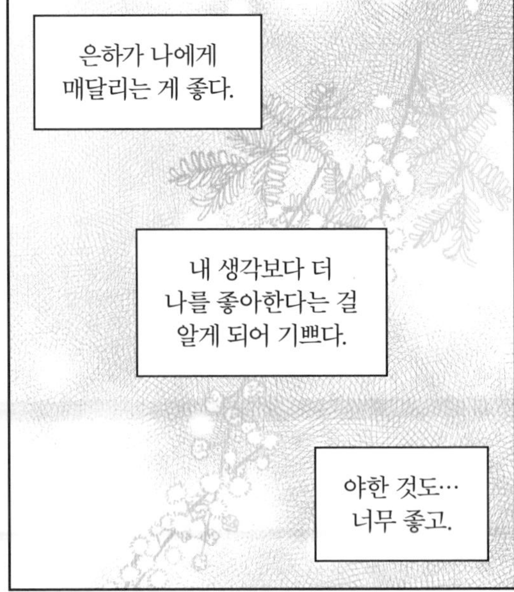
은하가 나에게
매달리는 게 좋다.
내 생각보다 더
나를 좋아한다는 걸
알게 되어 기쁘다.
야한 것도…
너무 좋고.

내가 몰랐던
은하를 알아가는
것이 즐겁다.

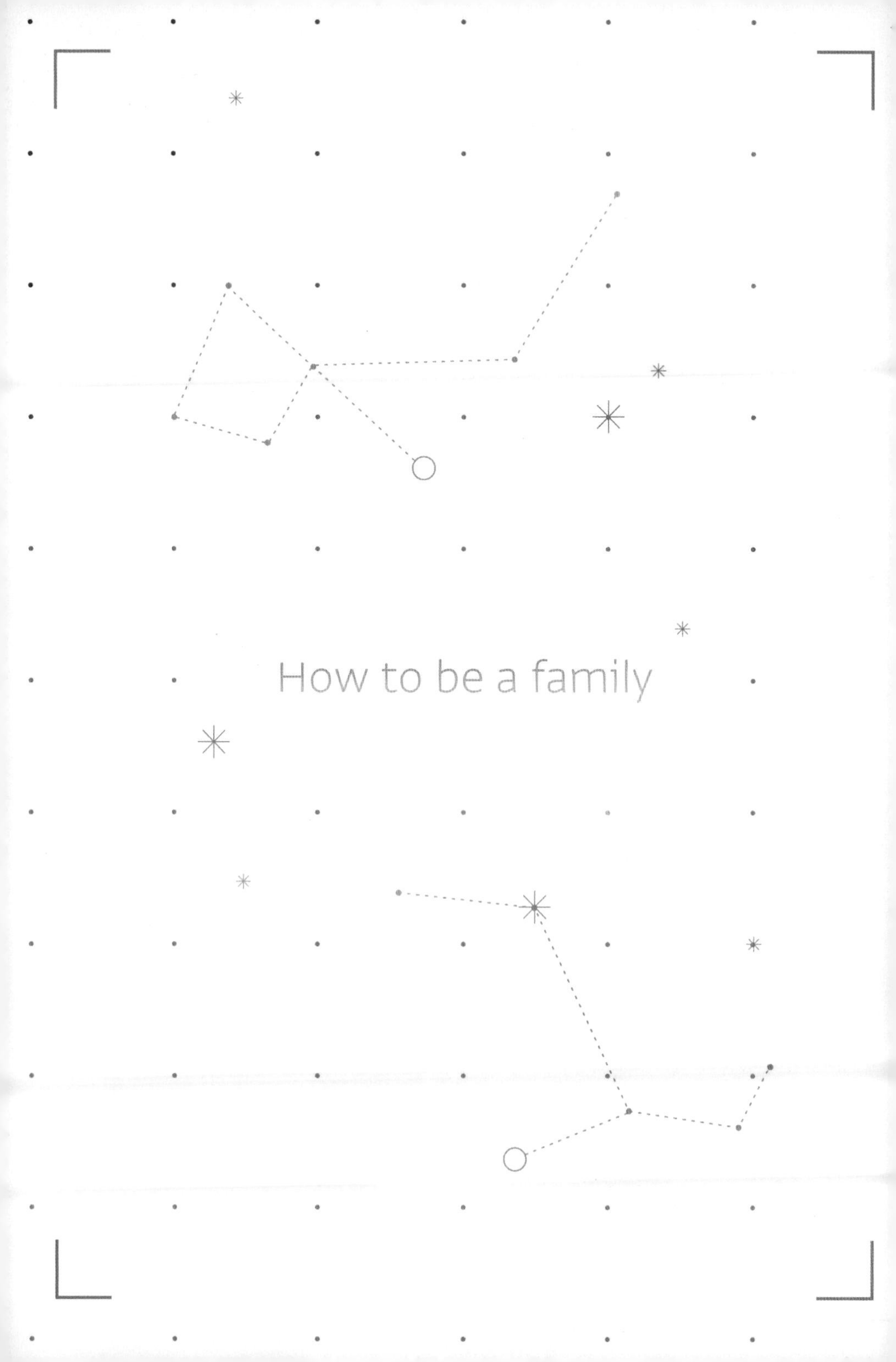

# How to be a family

# 40화

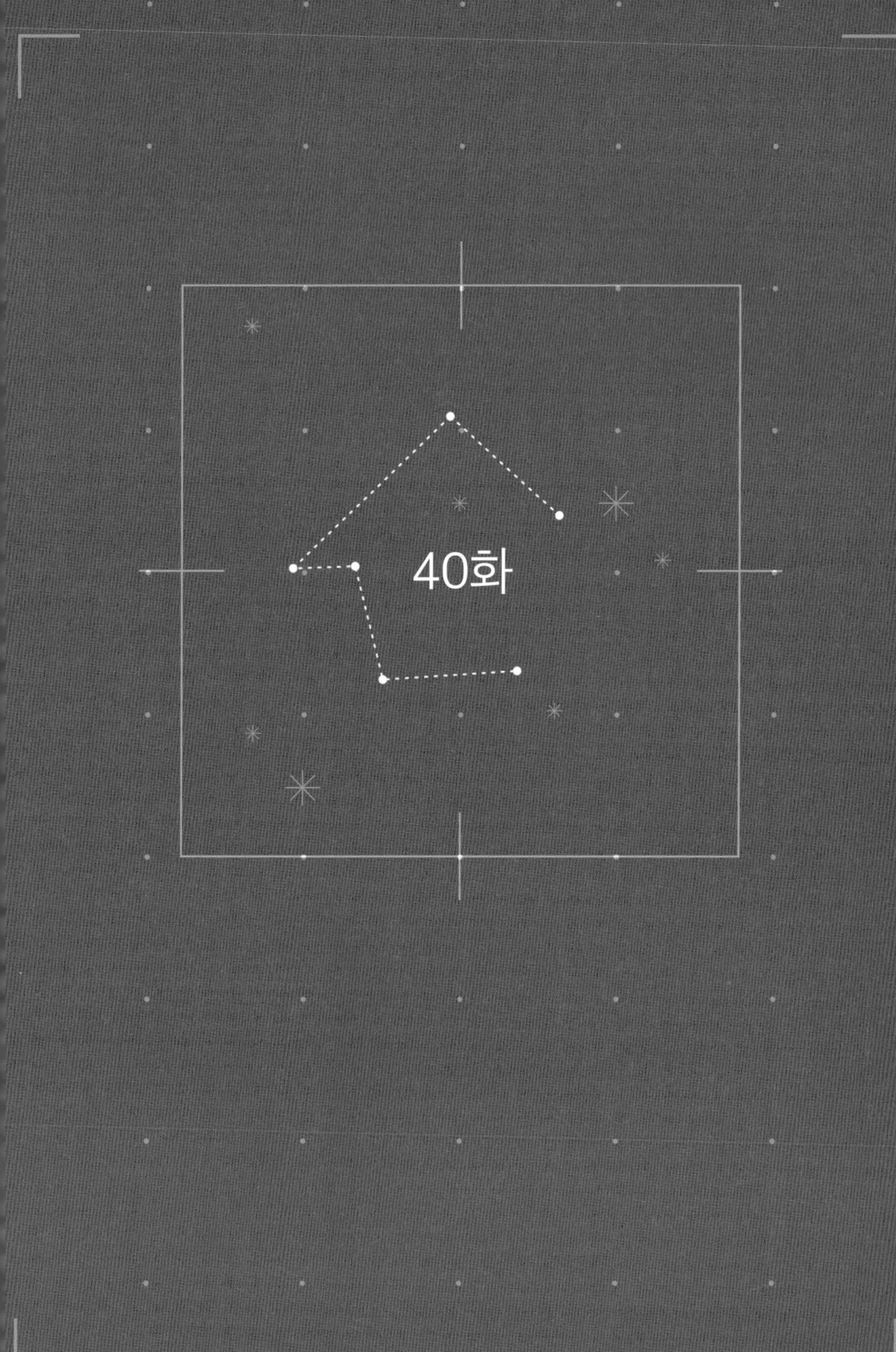

# 가족이 되는 방법

드디어.
끝났다.

종강이다~~~!
와
악!!

시끄러워….
왜 이렇게
난리야?
까득
하…
그치만…
진짜….
이번엔
정말 죽는 줄
알았거든.

시간이 없어서
잠도 거의 못 자고….
좀비 되는 줄.
아~.
꿀꺽
꿀꺽

연애하느라
많이 바쁘시긴
하셨죠.
조용히 해.
퍼억

그래도
학생의 본분을
잊지 않아서 참
다행이네.
당연하지,
3학년인데….
망하면
안 된다고.

그래서.
오늘은 바로
갈 거야?

어? 응.
어떻게 알았어?
은하랑 약속
있는 거….

…….
?
왜.

…너 완전히
까먹고 있었구나.
어? 뭘….

형!
끝났어?

어… 은하야.
그게….
시끌
시끌

정말 미안해.
오늘 약속이 있는 걸
깜박했지 뭐야….
와글
빨리 와,
신도연!
와글
빠지면
죽는다!
와글
요즘 약속을
너무 빠져서….
오늘까지
빠지면 친구들이
날 죽일지도
몰라.

…죽으면 안 되지!
괜찮아, 우리는 맨날 보잖아.
재밌게 놀다 와, 형.
beer
응… 정말 미안해.
너무 늦지 않게 갈게.

후…

야, 수상한데? 여친이야?
ㅋㅋㅋ
야, 신도연이 생길 리가 있겠냐.
올~
QB
어? 어, 그…….

………….
……어어?

뭐지? 뭐지, 뭐지?
진짜 생겼어?
와아
어? 진짜? 여친?!

남친이지만….
야, 진짜 대박.
짠해, 빨리! 짠짠짠짠!!!

신도연 여친 생긴 기념~~.

짠~~!
퍼억

이것들이 진짜
ㅋ
ㅋㅋ
ㅋ
ㅋ
와~ 진짜야?
신도연이 드디어 여친을 만들었다고?

너네는 뭐 없냐? 너희도 좋은 소식 좀 가지고 와봐.
야, 너 지금 우리 삼촌이랑 말투 똑같았어.

좋은 소식 듣고 싶어? 우리가 있잖아, 어제….
다른 얘기 할까?

난 취준하느라
바빠서 아무것도
없다~.
야, 종강했는데
취준 소리 하지
마라.
도연아,
네 얘기나
해봐.
어떻게 만났어?
어떤 애야?
어?
어?
ㄱㄱㄱ
와~~.
이 자식이….
좀
도와달라고!
짝
짝
짝
하아…
음…
어떤
사람이냐면….
오~~~~
엄청…
조각같이
생겼고….
조각 뭔데
ㅋㅋㅋ
오~~~~
엄청…
목소리도
좋고….
ㅋㅋㅋ
목소리~~~

머리 열심히 굴리는 중
엄청… 엄청….
어…….
누군지 알기 어렵게 얘기해야 하는데….

야하고….

…….
………….
…….
………….
………….

CRAFT VANS

와아
와~~~~~~!!
깜짝
CRAFT VANS

ㅋㅋㅋ
야, 미치겠다. 자세히 얘기해봐, 빨리.
뭘 어쨌다고? A부터 Z까지 설명해! 당장.
......
ㅋㅋ
ㅋ
왜 이렇게 훅 들어와~.
야~
와하하
야! 방 잡아, 당장.
이건 여기서 할 이야기가 아니다.
아!!
아! 싫어, 잡지 마!
잘못 말한 거라고! 아니라고!

야, 쟤 얼굴 토마토 된 거 봐봐.
와하핰ㅋㅋ
악ㅋㅋ
ㅋㅋㅋㅋㅋ
무슨 생각 하세요, 선생님?
아, 웃겨 돌겠다~ 진짜.
하하하
와하하

아, 됐고!
짠해, 짠! 짠!!
ㅋㅋ
ㅋㅋㅋㅋ
ㅋㅋ

짠 ~~~
와글
와글
와글

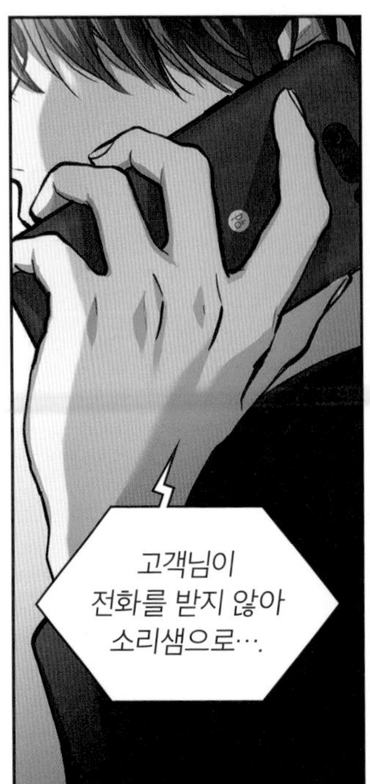
고객님이
전화를 받지 않아
소리샘으로….

…….
형….
안 받네.

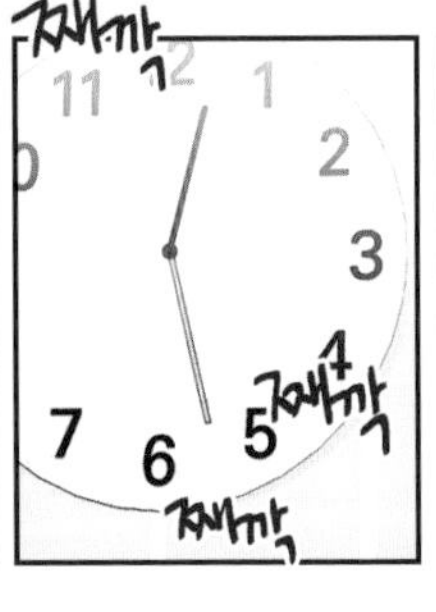
째깍
째깍
째깍

전화….
너무 많이 하면
싫어하겠지…?
만지작…
하지만
형한테…
무슨 일이
생긴 거면…….

째깍
째깍
…….
째깍
째깍
째깍

와당탕탕
?!

벌컥
형!!

…….
……아냐.
오해하지 마!
아니야!!

…………….
이거,
술주정
이거든?
얘 원래 이래,
취하면 엉긴다고.
진짜야!

어~~~.
은하다…….

포옥
…….
신도연 나중에
죽인다….

아… 평소엔
이렇게 마시지
않는데
오늘
오랜만이라 애들이
막 먹였거든.
나라도
말렸어야 했는데
미안하다….

아녜요,
왜 미안하세요!
오히려
감사드려야
하는데….

연락이
안 돼서 걱정하고
있었거든요.
형이 취해서
여기까지 데리고 오기
힘드셨을 텐데….
정말 감사해요,
성훈이 형.

…….
…어어.

그럼… 갈게.
네? 그냥
가시게요?
피곤하실 텐데
주무시고
가세요.
괜찮아,
집이 편하고….

아, 저기.
그럼….
택시비라도….
한 손으로 드려서
죄송해요.
…….
꼬깃
꼬깃
그… 지금
주머니에 3만 원
밖에 없어서….
혹시 모자라면
연락 주세요.

음…
서은하….
확실히 변하긴
변했구나.
긴장했는데
맥 풀리네….

나한텐
안 그러겠지 싶은
사람은 결국
어떤 식으로든~.
내가 너무
옛날 모습으로만
판단했나 봐.

야, 신도연~.
그렇게 좋냐?
야 ~~~
…당연하지.
빨간거
봐
ㅋㅋ
올~~~.

음…….

…이제
걱정할 필요
없겠다.

쏴아아아아…
쏴아아
쏴아아아아아

시즌1 완결.